Königs Erläuterungen und Materialien
Band 142

Erläuterungen zu

Arthur Miller

- **Death of a Salesman**
  (Tod des Handlungsreisenden)
- **The Crucible**
  (Hexenjagd)

von Karl Brinkmann
überarbeitet von Reiner Poppe

C. Bange Verlag - Hollfeld

Herausgegeben von Klaus Bahners, Gerd Eversberg
und Reiner Poppe

9. überarb. Auflage 1995
ISBN 3-8044-1612-8
© 1995 by C. Bange Verlag, 96142 Hollfeld
Satz: Werbestudio Bayer, 96142 Hollfeld
Druck: Druckhaus Beyer GmbH, 96142 Hollfeld

INHALT

VORBEMERKUNGEN ZUR NEUAUFLAGE 5

1. ARTHUR MILLER - ZU LEBEN UND WERK 8

2. ZUR GESCHICHTE DES AMERIKANISCHEN
   THEATERS 11

3. DIE TEXTE

3.1 Voraussetzungen und Hintergründe 15
3.2. Wort- und Sacherklärungen 20
3.3 Das Bühnengeschehen 23
3.3.1 „Death of a Salesman" 23
3.3.2 „The Crucible" 36

4. ASPEKTE ZUR DISKUSSION

4.1 Sozial- und Zeitkritik in
    „Death of a Salesman" 53
4.2 „The Crucible"- Tragödie des Umbruchs 62

5. STIMMEN DER KRITIK 67

6. LITERATUR (-AUSWAHL-) 75

Vorbemerkung zur Neuauflage

Es bedurfte sicherlich nicht erst der effektvollen Neuverfilmung von Arthur Millers Drama "Death of a Salesman" unter der Regie von Volker Schlöndorff, um sich der Aktualität und Bedeutung gerade dieses Stückes zu erinnern. Zumindest 'Eingeweihten' ist Millers 1949 uraufgeführtes Drama um den kleinen Handlungsreisenden Willy Loman als ein „Gleichnis der verlorenen Träume"[1] im Bewußtsein fest verankert, als eines der ganz großen Schauspiele des modernen amerikanischen Theaters. Auch heute noch fasziniert jede gute Aufführung, wie unlängst das "Westfälische Landestheater Castrop-Rauxel" unter Beweis gestellt hat (in Bergisch-Gladbach, Januar 1995).

Arthur Miller selbst schrieb das Drehbuch zum Film, in dem Dustin Hoffman die Hauptrolle spielt. Thema, Milieu und die im Schauspiel ohnehin verwendeten filmischen Mittel (vgl. Kapitel 3.3 - 4) boten dem bekannten Regisseur V. Schlöndorff, der bereits mit der Verfilmung von G. Grass' Roman "Die Blechtrommel" erfolgreich war, zusammen mit seinem Kameramann M. Ballhaus die Grundlage für eine "halluzinatorische, kinogemäße Ausstrahlung", die etwas von der "Qualität eines expressionistischen Stummfilms" weiterträgt.[2]

Einerseits mag dadurch Millers zweites Erfolgsstück, "The Crucible", aus dem Jahre 1953 etwas in den Schatten geraten; andererseits liegt in der Verfilmung des ersten wirklichen Theatererfolgs des amerikanischen Dramatikers die Chance, auch "The Crucible" wieder stärker in den Vordergrund und damit ins allgemeine Interesse zu rücken.

Für unseren Erläuterungs- und Materialienband sind beide Stücke weiterhin gleichrangig bedeutsam. Wir belassen deshalb "The Crucible" mit seiner zeitlos gültigen Thematik neben dem (nicht nur augenblicklich) bekannteren "Death of a Salesman", gehen allerdings nicht so sehr ins Detail des Stückes. Gegenüber der letzten Auflage unserer Erläuterungen

---

1) Vgl. Kölner Stadtanzeiger vom 10./11. Mai 1986.
2) Auf das Verhältnis 'Theater-Film' kommen wir im Kapitel 2 zurück .

In allen Fußnoten beschränken wir uns auf Kurzangaben der Textbelege; ausführliche Angaben sind dem Literaturverzeichnis zu entnehmen.

aus dem Jahr 1992 haben wir noch einmal wichtige Ergänzungen und Änderungen vorgenommen, die alle insgesamt an der neueren Ausrichtung unserer Reihe 'Erläuterungen und Materialien' orientiert sind, in der *Hilfen für die eigenständige Erarbeitung* des jeweils zugrundeliegenden Textes angeboten werden.

Das Kapitel 1 (ARTHUR MILLER - ZU LEBEN UND WERK) wurde aktualisiert, ebenso das Kapitel 6 (LITERATUR-AUSWAHL). Zu drastischen Streichungen haben wir uns im Kapitel 3 entschlossen. Weitere Fußnoten wurden hineingearbeitet.

Grundlage für die Erläuterungen des ersten Stückes ist der Reclam-Fremdsprachentext (Nr. 9172); im zweiten beziehen wir uns in den Seitenangaben auf "The Penguin Plays" (1970). Wir empfehlen dem Leser parallel dazu die beiden Fischer Taschenbücher aus der Reihe 'Theater-Film-Funk-Fernsehen' (Nr. 7081 und 7082) in der deutschen Übersetzung.

Im Unterricht wird "Death of a Salesman" vergleichsweise häufiger gelesen. Das liegt an der modernen Thematik und der größeren Alltäglichkeit seiner Dialoge. Der Text ist einfacher als "The Crucible", daher auch für Laienbühnen sehr viel besser geeignet. Während "Death of a Salesman" von daher einer ganzen Klasse (10. Schuljahr) durchaus im Original zuzumuten ist, muß "The Crucible" auf Arbeitsgemeinschaften und Leistungskurse (11,II) beschränkt bleiben.

Über die Bedeutung und Wichtigkeit der Textarbeit ab Klasse 10 gibt es keinen Zweifel, kaum noch Diskussionen.[3] Entgegen früherem didaktisch-methodischem Verständnis wird dem Schüler heute mehr *Eigenständigkeit im selbstorganisierten Lernen und Arbeiten* abverlangt. Hier setzt auch die Hilfestellung durch unsere 'Erläuterungen und Materialien' an.

Die Sekundärliteratur zu Arthur Miller ist dem Schüler im allgemeinen nicht leicht und selbstverständlich zugänglich (Fachzeitschriften - Großbibliotheken). Wir geben deshalb in unserer Literatur-Auswahl lediglich solche Titel an, die einerseits bei der Erarbeitung der angesprochenen Sachaspekte erforderlich und hilfreich sind, (ohne daß wir auf Vollständigkeit Wert legen), andererseits von jedermann wirklich ohne großen Aufwand erreicht werden können (Fachgeschäfte, Bibliotheken). Dem Studierenden ist mit unserer

---

3) Dies gilt sowohl für den Deutschunterricht als auch für die Lektürearbeit in der Fremdsprache, ohne Einschränkungen auch für Hauptschulen nach den derzeit noch gültigen Richtlinien (NRW).

Übersicht eine ausreichende Hilfe geboten, sich in das Leben und Schaffen des Dramatikers Arthur Miller sowie in die Geschichte des amerikanischen Dramas einzuarbeiten. Aber auch der interessierte Leser, der sich in nicht-wissenschaftlicher Absicht mit Arthur Miller befassen möchte, findet genügend Hinweise auf anregende Lektüre.

Wir möchten alle Leser um Verständnis bitten, daß die beiden Stücke nicht in noch größerer Ausführlichkeit abgehandelt worden sind. Wir betonen in diesem Zusammenhang noch einmal, daß sich unsere Reihe 'Erläuterungen und Materialien' als Ziel und Grenze setzt, *Akzente* aufzuzeigen, die dem Leser einen weiteren gezielten Einstieg in die Thematik ermöglichen. Eine umfassende Auseinandersetzung mit Leben und Werk eines Schriftstellers kann und soll im Rahmen einer solchen Zielsetzung nicht geleistet werden.

R.P.

1. Arthur Miller - Zu Leben und Werk

Arthur Miller ist als Sohn österreichischer Einwanderer am 17. Oktober 1915 in New York geboren worden. Er studierte an der Michigan Universität, verdiente seinen Unterhalt als Hafen- und Landarbeiter und wurde so mit dem Leben der einfachen Arbeiterbevölkerung vertraut. Als er seine literarische Karriere begann, war er ein kleiner Angestellter in einem New Yorker Warenhaus. 1945 erschien sein erster literarischer Versuch, der Roman "Focus", der aber nur wenig Beachtung fand und erst 1950, als Miller durch Dramen weltberühmt geworden war, auch in Deutschland erschien. Den ersten Theatererfolg errang Miller 1947 mit "All my Sons", das 1948 auch ins Deutsche übersetzt und veröffentlicht wurde. Es ist ein Stück harter Sozialkritik. Ein Fabrikant, „der alte Josef", hat aus Gewinnsucht schlechte Motoren für Militärflugzeuge geliefert. Mit einem dieser Flugzeuge stürzt sein Sohn an der japanischen Front ab und findet den Tod. Dieser Zugriff gegen das die amerikanische Öffentlichkeit beunruhigende Problem der Korruption aber genügt Miller nicht. Er weitet es zum Menschlichen aus. Die Familie des Kriegsgewinnlers vermag nicht zu fassen, daß der Gatte und Vater eines solchen Verbrechens fähig ist. Alle lieben ihn, und der alte Josef hat die Tat auch nur begangen, damit es seine Söhne einmal besser haben sollen als er. Die Mutter weigert sich, an den Tod des Sohnes zu glauben, der jüngere Sohn ringt um eine Begründung und wird dabei zum unerbittlichen Richter über den Vater. Diese liebevoll-familiäre Selbstsucht, die Motiv für das Verbrechen am Staat, an der menschlichen Gesellschaft und am eigenen Sohn wurde, schlägt alle Angehörigen des alten Josef mit der Blindheit der Liebe. Sie setzt aber gerade so die Mechanik des Schicksals in Bewegung, die ihn schließlich zum sühnenden Selbstmord treibt. Das zentrale Problem ist hier wie im folgenden Werk das Eingeständnis der eigenen Schuld und Schwäche.

Ein Welterfolg wurde Millers zweites Drama, das sich 1949 gegen alle Erwartungen in New York bereits mit der Uraufführung durchsetzte und in einigen Monaten auf den Bühnen der ganzen Welt erschien und bereits 1952 verfilmt wurde[4]. Es war *"Death of a Salesman"*, „*Der Tod des Handlungsreisenden*". 1949 wurde Miller für dieses Werk mit dem Pulitzer-Preis für dramatische Dichtung ausgezeichnet. Das Werk hat sich seitdem

---

4) A. Miller hatte die Filmrechte zu "Death of a Salesman" an Stanley Kramer verkauft.

ununterbrochen überall in der Welt auf den Bühnen gehalten, es wurde noch 1968 in einer deutschen Fernsehfassung mit Heinz Rühmann in der Hauptrolle gesendet. Den gleichen Erfolg erreichte auch das nächste Werk Millers, "*The Crucible*", das 1953 in New York uraufgeführt und im nächsten Jahr unter dem Titel "Hexenjagd" von deutschen Bühnen übernommen wurde. Arthur Miller selbst bezeichnete es als sein insgesamt erfolgreichstes Stück.

Die weiteren Dramen Millers konnten diese beiden Erfolge nicht wiederholen, zählen aber ebenfalls zu den Werken der jüngeren Weltliteratur. Nach "Der Blick von der Brücke" (1957) erschienen "Nach dem Sündenfall" (1963) und das wieder sehr erfolgreiche "Zwischenfall in Vichy" (1964). Außer dem Roman "Focus" (deutsch: Brennpunkt), der antisemitische Auswüchse in einer New Yorker Firma gegen Ende des Zweiten Weltkrieges behandelt, schrieb Miller den Roman "The Misfits"(deutsch: "Nicht gesellschaftsfähig", 1961), in dem die Ablösung des romantischen Prärielebens der Cowboys durch die moderne Technik und Zivilisation dargestellt wird, verfilmt mit M. Monroe und C. Gable. 1965 wurde Arthur Miller zum Präsidenten der Schriftstellervereinigung gewählt. 1968 erschien "The Price" ("Der Preis").

In den gut 25 Jahren von 1970 bis heute widmete sich der erfolgreiche und weltberühmte Dramatiker sehr unterschiedlichen Projekten.
Zum einen setzte er seine praktische Theaterarbeit fort. So entstand zunächst die weniger bekannte Komödie "The Creation of the World and other Business" (1972), der die Kritik nicht sonderlich hold war. Miller arbeitete sie später zu einem Musical um, "Up from Paradise" (1974).

Eine hochaktuelle Thematik griff er dann in "The Archbishop's Ceiling" (1977) auf, einem Bühnenstück, in dem es um den Konflikt zwischen Schriftsteller-Dissidenten und dem totalitären Regime (Kommunismus) geht.
In "The American Clock" (1980) setzt sich A. Miller mit den Auswirkungen der "great depression" auf die amerikanische Öffentlichkeit im Alltag auseinander[5]. Im selben Jahr noch befaßte er sich in einem Fernsehstück mit dem Thema der Judenverfolgung und -vernichtung (Auschwitz) in

5) Die bedrohliche wirtschaftliche und kulturelle Rezession nach der Kredit- und Börsenpleite in den USA (1929) wirkte sich in der Öffentlichkeit geradezu zersetzend aus. Im Jahr 1932 war jeder vierte Amerikaner arbeitslos. -1933 leitete Präsident F.D. Roosevelt ein Wirtschafts- und Sozialprogramm ein, um die USA wieder zu beleben.

"Playing for Time". In seinem Lebensrückblick reflektiert A. Miller immer wieder die eigene Rolle, seine Herkunft aus einer jüdischen Familie, sein Eintreten für Verfolgte, sein politisches Engagement.

Den zweiten Schwerpunkt dieser Jahre bildete die Auseinandersetzung mit den theoretischen Fragen des Theaters, die Miller seit seiner "workshop"-Arbeit ebenso intensiv verfolgte, zusammengefaßt in dem Buch "The Theater Essays of Arthur Miller" (1978).[6] Hier steht der Dramatiker in einer Tradition des "learning by doing", wie sie sich seit Übernahme der Theater-Arbeit durch Piscator in New York ganz selbstverständlich zu etablieren begann.

Arthur Millers dritter Aufgabenkomplex im literarischen Betätigungsfeld zwischen Drama und Prosa, Drehbuch und Essay war die Zusammenarbeit mit der Photographin Ingeborg Morath, die er 1962 geheiratet hatte und mit der er die Bild-Text-Bände "In Russia" (1969), "In the Country" (1977) und "Chinese Encounters" (1979) veröffentlichte.

Heute lebt der Schriftsteller in New York und Connecticut. Seine Karriere ist die typische amerikanische Schriftsteller-Karriere, in der nicht nur Glück und Können, sondern *Mut, Entschlossenheit* und *Durchsetzungsvermögen* Grundbausteine für den literarischen (und damit gesellschaftlichen) Erfolg waren. Durch sein gesamtes Schaffen zieht sich die Frage nach dem *Menschsein unter sinnvollen Wertordnungen*. Das künstlerische Experiment diente ihm immer nur dazu, Fragen aus dieser Richtung zu beantworten.

Arthur Miller gehört zu den wenigen amerikanischen Schriftstellern, die nahezu unser ganzes Jahrhundert durchmessen und erlitten haben. In ihm und seinem dramatischen Werk spiegeln sich zentrale Probleme unseres Jahrhunderts und fünfzig Jahre amerikanischer Theatergeschichte, die im folgenden Kapitel mit einigen 'spotlights' beleuchtet werden sollen.

---

6) Erschienen als Fischer-Taschenbuch (7058) unter dem Titel "Theateressays". - Angesichts des Bekanntheitsgrades der großen Theatererfolge von A. Miller (auch T. Williams u.a.) wird allzu häufig vergessen, daß auch die amerikanischen Dramatiker interessante Beiträge zur Situation und Entwicklung des Theaters beigetragen haben.

2. Zur Geschichte des amerikanischen Theaters[7]

Arthur Millers Entwicklung und erste Anerkennungserfolge als Dramatiker fielen in die Hoch-Zeit des modernen amerikanischen Theaters ab 1930. Die großen Namen der Zeit waren E. O'Neill und Th. Wilder, E. Rice und M. Anderson.[8] Ohne ihr Vorbild ist Millers dramatisches Schaffen nicht vorstellbar. Anknüpfend an die zeitgenössische (politische) Bühne Amerikas, machte sich der *junge Bühnenschriftsteller Miller* bereits mit seinen ersten Stücken, "Honourus at Dawn" (1936) und "No Villain" (1938), deren sozialkritische Komponente nicht zu übersehen war, zum Hüter und *Anwalt einer (noch jungen) Tradition*, die ihre Wurzeln wiederum in der damaligen europäischen Moderne hatte. Zusammmen mit dem deutschen Expressionismus bildeten die Dramen Ibsens, Strindbergs und Hauptmanns den vielgestaltigen Orientierungsrahmen für die jungen amerikanischen Dramatiker. (Interessant ist, daß die amerikanische Germanistik nach wie vor eine große Leidenschaft für Gerhart Hauptmann zeigt, wie die Vielzahl wichtiger Veröffentlichungen allein aus den vergangenen zehn Jahren beweist.)

Die amerikanischen Dramatiker ließen sich jedoch nicht durch die formalen Elemente der europäischen Gattungsbeispiele binden und von ihren *eigentlichen*, den *sozialen Problemen* und Fragestellungen ihrer Zeit abbringen. Wichtige Themen und Probleme des Jahrzehnts 1920-1930 waren die „Kritik an den puritanischen Traditionen, der Verlust der Geborgenheit in der neuen Welt, die Konfrontation des Individuums mit dem kollektiven oder dem eigenen Unterbewußtsein, der Gegensatz von Bürger und Künstler, das Rassenproblem" und anderes.[9]

---

7) Wir zielen in diesem Kapitel aspekthaft besonders auf das gesellschaftliche und kulturelle Umfeld, in dem sich Arthur Millers dramatisches Schaffen entwickelte.
8) E. O'Neill prägte das amerikanische Theater ganz entscheidend. Mit "Moon in the Caribees" (1918), "The Emperor Jones" (1920), "Desire Under Elms" (1924), "The Great God Brown" (1925), "Strange Interlude" (1928) hatte er bereits richtungsweise Theater geschrieben, ehe sein berühmtes, häufig auch auf deutschen Bühnen gespieltes Drama "Mourning Becomes Elektra" (1930) erschien.
9) Vgl. Karrer/Kreutzer, S. 48.

In den darauffolgenden Jahrzehnten variierten und pointierten *Arthur Miller* und der nicht weniger erfolgreiche *Tennessee Williams* die Identifikationsprobleme des modernen amerikanischen Individuums in seiner Zeit.[10]

Die Jahre 1930-1950 ("The Crucible" kam 1953 heraus) standen im Zeichen großer Experimentierfreudigkeit des Theaters in den Vereinigten Staaten. Besonders der Film bereicherte enorm die formalen Mittel und Möglichkeiten der Bühne (Projektionen, Rückblenden, Montagen). In der beinahe maßlosen Expansion des kommerzialisierten Films war die Zahl der für Hollywood arbeitenden Autoren, die ursprünglich beim Theater begonnen hatten, schier Legion. Sie profitierten alle vom 'neuen' Medium, und auch das Theater erfuhr reziprok seine Bereicherung.

Die positiven Entwicklungmöglichkeiten des Theaters durch den Film wurden von Erwin Piscator, dem großen deutschen Theaterregisseur, früh erkannt. Mit sensiblem Kunstverstand und realistischem Blick hatte er bereits 1933 befunden:

"... Auf jeden Fall ist mit dem Tonfilm eine Annäherung beider Kunstelemente eingetreten, deren Wechselwirkung noch gar nicht abzusehen ist. ... Die technischen Erfindungen kommen aber beiden zugute und bieten beiden ungeheure Möglichkeiten. ... Darum: Heraus aus jeder einseitigen Erstarrung, gegenseitige Bereicherung, mutiges lebendiges Anfassen (keine Angst vor der Technik) - und größere Perspektiven!"[11]

Erwin Piscator war 1938 nach New York gekommen und dort bis 1951 geblieben. Als deutscher Regisseur war er im Zuge der breit angelegten kulturellen Wiederbelebungsversuche nach der Weltwirtschaftskrise in den USA tätig und leitete den berühmten "Dramatic Workshop of the New School for Social Research" in New York.[12] Piscator (1893-1966) war eine Ausnahmeerscheinung und trug mit seiner (konsequent politisch motivierten) Arbeit viel zur Entwicklung des amerikanischen Theaters bei, ja es darf

---

10) vgl. dazu den Band 382 unserer Reihe, Hollfeld 1995.

11) Piscator, S. 55.

12) Der Präsident der Vereinigten Staaten, Theodore Roosevelt, initiierte und förderte ein Programm zum wirtschaftlichen und kulturellen Wachstum nach dem Zusammenbruch des Kredit- und Börsenmarktes in den USA (1929), die "Works Progress Administration" (WPA), von dem auch das Theater profitierte im "Federal Theatre Project" (1935-1939)

ohne Übertreibung gesagt werden, daß von seiner Theater-Arbeit in den USA maßstabsetzende Impulse auf die Bühnen der ganzen Welt ausgingen.

Zu Piscators 'workshop' gehörten das "President-Theatre" und das "Rooftop-Theatre" mit insgesamt 1300 Plätzen. Mit dem ideenreichen, experimentierfreudigen und weitblickenden Regisseur zusammen arbeiteten u.a. C. Zuckmayer und H. Eisler, K. Pinthus und B. Atkinson, T. Williams und A. Miller, T. Curtis und M. Brando, schließlich auch J. und J. Beck, die Begründer des weltbekannten "living theatre", dem wir weiter unten noch einige Bemerkungen widmen wollen.

Das leitende Prinzip der Arbeit Piscators war das des "learning by doing", bei dem Autoren, Schauspieler und Regisseure eng und 'gleichberechtigt' miteinander agierten.

"The Crucible", von Piscator als ein "modernes Lehrstück" bezeichnet[13], war eines der bevorzugten Stücke des engagierten und mutigen Regisseurs, das er in Europa viele Jahre erfolgreich inszenierte, so in Mannheim und Tübingen (1954), in Marburg und Göteburg (1955) und in Essen (1958). *"Death of a Salesman"* wurde von Piscator im Berliner "Theater am Kurfürstendamm" inszeniert (6. Oktober 1961).

Erwin Piscator und das moderne amerikanische Theater sind untrennbar miteinander verbunden, und so wie *Arthur Miller* die prägenden Erfahrungen aus der gemeinsamen 'workshop'-Arbeit in gesellschaftlich engagiertes Theater- und Filmschaffen umsetzte, so verbreitete das "living-theatre" unter anderen Vorzeichen und auf andere Weise in der Welt, was es bei Piscator erworben hatte: Ideenreichtum, Mut zum Experiment, kritisches Engagement und politische Richtungsklarheit. Seit sich die Gruppe um Judith und Julian Beck 1951 verselbständigt und bis zu ihrer Auflösung im Jahre 1970 in der ganzen Welt Erfolge (nicht weniger Kritik und Zurückweisung) erfahren hatte, war ihr Einsatz auf das Zerbrechen von bürgerlichen Tabus gerichtet in Formen des Theaters, die härter, radikaler und kompromißloser waren als jene Erwin Piscators. Das "living", wie es allgemein hieß, war in das Kreuzfeuer der Kritik geraten, sogar gerichtlich verfolgt worden. Seine Arbeit hatte unter dem Motto gestanden. „Das Grausame und das Schöne - beim 'living' sind sie Schwestern. Gemeinsam wohnen sie in der Brust des Menschen, Bewußtmachung ist alles."[14]

---

13) Piscator, S. 80.
14) Unger, S. 40.

Wie kein anderes Ensemble hatte das "living" amerikanisches (Anti-) Theater mit zeitgemäßen Ausdrucksformen und dem Risiko der Selbstaussetzung popularisiert.

Demgegenüber nahm und nimmt sich *Millers gesellschaftskritisches Engagement zurückhaltender und besonnener aus.* Wohl ist Piscators Handschrift auch bei ihm zu erkennen, zumal in den frühen Dramen, aber Sachlichkeit und 'common sense' bestimmten Arthur Millers dramatisches Schaffen bei aller Leidenschaft, die er - gleich Piscator - dem Theater entgegenbringt.

Das kommerzialisierte Theater der 60er und 70er Jahre band viele Autoren und machte manche von ihnen groß. Eigentlich rangieren aber nur zwei Namen ganz oben auf der 'ewigen' Bestenliste: *Arthur Miller* und *Tennessee Williams*, beide aus der 'älteren' Generation, die sich weiterhin der Zeitfragen kritisch angenommen und ein Stück Theatergeschichte in den USA geschrieben haben. Das Publikum will sie nach wie vor. Neue Namen kamen hinzu: E. Albee (* 1928), J. Baldwin (*1924), A. L. Kopit (* 1937), aber auch Jüngere wie D. Mamet (* 1947), M. Norman (* 1947), D. Rabe (* 1940) oder S. Shepard (* 1943). Damit ist die Liste der in Fachkreisen bekannten und teilweise hocheingeschätzten amerikanischen Dramatiker keineswegs erschöpft.[15]

Wenn heute von der modernen amerikanischen Literatur die Rede ist, dann geht es meistens nicht um Theater. Gegenwärtig steht die erzählende Literatur überragend im Vordergrund des Interesses und Erfolges, ihr zur Seite die essayistische. Aber, will man kritischen Beobachtern glauben, so findet die amerikanische Literatur im ganzen gesehen statt, und sie schließt das Drama ein. Wenn man sich die vitalen Kräfte des Landes vergegenwärtigt und ihren Erneuerungskräften vertraut, dann darf dem Drama eine nicht weniger bedeutende Zukunft vorausgesagt werden.

Auf diesem Gebiet stellt *Arthur Miller* sozusagen das letzte Verbindungsglied zwischen der Tradition des vergangenen Jahrhunderts und einer zukunftsgerichteten Erneuerung dar.

---

15) vgl. ausführlich dazu W. Herman, S. 3-22.

3.   Die Texte

3.1   -Voraussetzungen, Hintergründe-

Am Tage der Premiere von *"Der Tod des Handlungsreisenden"* fand auf dem Broadway eine zweite Uraufführung statt. Es war das "Lächeln der Welt" von Garson Kanin, der durch "Born Yesterday" als Erfolgsautor bekannt geworden war. Der Aufführung von Millers Werk sah man allgemein mit Besorgnis entgegen, zahlreiche Kritiker prophezeiten ihm einen krassen Mißerfolg. Es war ungewöhnlich, entsprach in keiner Weise den geläufigen Vorstellungen oder gar Erfolgsrezepten. Überdies enthielt es das Wort "Tod" im Titel. Aber das Unerwartete geschah. Millers "Tod" siegte über Kanins "Lächeln" und nahm in kurzer Zeit einen Siegeslauf über die ganze Welt.

Vordergründig sah das Publikum die soziale Kritik. Es kam in einer Zeit, in der auch sonst in der dramatischen und epischen Dichtung der amerikanische Fortschrittsoptimismus und der Glaube an die seligmachende Kraft des wirtschaftlichen Erfolgs und des Wohlstandes erschüttert wurde. Miller stellt die Tragödie des kleinen Alltagsmenschen dar, eines Durchschnittsbürgers mit seinen Sorgen um das tägliche Brot, um Ratenzahlungen und das mühsam erworbene, bescheidene Heim, mit der Angst vor dem Altern und der Hoffnung auf besseres Leben für die Kinder.

In Europa, im Naturalismus und seinen Nachfolgern, hatte soziale Kritik die Darstellung des menschlichen Elends der Besitzlosen und Entrechteten und seiner Ursachen in der ungerechten Verteilung des Besitzes nach Herkunft, Stand und Erbe bedeutet. Sie war immer Anklage gegen die Besitzenden und Machthaber, die das Elend verschuldeten. Sie wurde im Naturalismus auch Anklage gegen die Industrialisierung, die überlieferte soziale Ordnungen zerstörte und an ihre Stelle Ungerechtigkeit setzte, indem sie der Idee und der Legalität nach den Schein der Ordnung aufrechterhielt. So wird der Kampf um eine gerechte Gesellschaftsordnung immer ein Kampf gegen Standesvorteile und Standesvorurteile.

Für den Amerikaner ist das nicht ohne weiteres annehmbar. Standesvorrechte haben in der Regel dort nicht das Ende der Kolonialzeit erlebt. Jeder hat die gleichen Chancen, jedem steht der Weg zum Erfolg, Reichtum und

Ansehen offen. So verlangt es die Verfassung, und der Glaube daran ist fest im amerikanischen Bewußtsein verwurzelt. Erfolg oder Versagen sind Ergebnisse der Begabung, des Könnens und der richtigen Einschätzung von Personen und Mitteln, vor allem aber der Selbsterkenntnis. Sie sind freilich mehr, sie hängen auch vom Glück ab, vom Zufall, von unberechenbaren Mächten. Kein Unglück kann aber so groß sein, daß es sich nicht aus eigener Kraft in sein Gegenteil verkehren ließe. Zu den Imponderabilien gehört auch die Wahl der beruflichen Tätigkeit, die nicht im europäischen Sinne als Berufung und Entfaltung innerer Kräfte und Fähigkeiten angesehen wird. Sie ist nur Mittel und Weg zum Erfolg. Deshalb bedeutet es auch nicht viel, wenn jemand den Beruf wechselt, wie es Biff Loman tat, ohne zunächst die Besorgnis des Vaters zu erregen. Dieser Glaube an den Erfolg, eine Art religiöser Überzeugung, hat mindestens eine Wurzel im Puritanismus der frühen Einwanderer. Ihnen zeigte sich die Prädestination, die Auserwähltheit durch Gott, nicht nur geistlich, sondern auch im Erfolg dieser Welt. Mißerfolg war also ein Zeichen dafür, daß der Betroffene von Gott verworfen war. Eine zweite Wurzel mag in den eigentümlichen Verhältnissen des Pionier-Zeitalters liegen. Alles wirkt aber zusammen und verführt gleichzeitig zu der Überzeugung, daß der Mensch zum Erfolg bestimmt ist, und daß alles Heil deshalb von der möglichst hohen Bildung, von der Vielseitigkeit des Wissens und Könnens abhängt.[16]

Die Determiniertheit des menschlichen Lebens hat man als Nähe zum antiken Schicksalsbegriff gedeutet, womit aber das Neuartige und Einmalige im Drama Millers nur unvollkommen erfaßt wird. Er führt in *"Der Tod des Handlungsreisenden"* das Problem weiter ins Existenzielle, ohne aber der Praxis des psychoanalytischen Dramas, das zur Zeit der Entstehung des Werkes in Amerika beherrschend war, zu folgen. Es geht ihm um den Menschen, aber nicht um exakte Beobachtung und Nachzeichnung unter Vorbehalten oder vorgefaßten Anschauungen. Auch dort, wo Miller expressionistischen oder surrealistischen Anregungen folgt, bleibt er Realist.[17]

---

16) Europa gilt in dieser Hinsicht den Amerikanern als Vorbild. - 1989 betrugen die bundesstaatlichen Ausgaben für das Bildungswesen in den USA 44.2% (Quelle: Länderbericht USA. Bonn 1992).

17) "Expressionismus" und "Surrealismus": Sammelnamen für die beiden zeitlich aufeinanderfolgenden Epochen in der europäischen Kunst/Literatur, um 1910 bzw. 1918 mit stark revolutionärem Charakter.

Miller sucht danach nicht so sehr das soziale Problem, sondern das menschliche. Nicht die gesellschaftlichen Verhältnisse sind falsch, sondern der Mensch ist es in seinem Verhältnis zu ihnen. So strebt Miller nicht danach, die gesellschaftlichen Zustände zugunsten irgendeiner Ideologie zu verändern. Es kommt ihm vielmehr darauf an, die Menschen humaner, ihrer innersten Kräfte bewußter zu machen. So ist sein Stück weder eine ausweglose Anklage noch ein Aufruf zur Revolution. Sie ist die Tragödie eines Menschen, der das Leben nicht versteht, der sich selbst ununterbrochen etwas vorlügt, der mit sich selbst nicht zurechtkommt, weil er sich selbst nicht kennt. „He never knew who he was" (149), sagt sein Sohn Biff von ihm. Willy Loman kämpfte um den Erfolg mit falschem Einsatz, mit Selbsttäuschung und Phantasterei.

Miller traf in seinem Werk eine Situation, die für das Leben der Nachkriegszeit allgemein typisch und keineswegs auf Amerika beschränkt ist. Das Mißverstehen seiner selbst und des Lebens ist keine Frage der Erkenntnis, sondern der Existenz, der inneren und der von außen an den Menschen herangebrachten Anlage.

Dem Menschen fehlt der Halt und der Polarstern im ewig wechselnden Meer des Lebens, in dem nur die Ungewißheit sicher ist. Da behilft er sich mit dem falschen Schein, er konstruiert um sich eine trügerische Welt von schönen Lügen und glitzernden Selbsttäuschungen, von erdichteten Idealen und propagierten Scheinwerten, in der er doch nicht heimisch werden kann, ohne sich an der Wahrheit und Wirklichkeit zu stoßen. Gegen das Leiden an der Welt gibt es kein Heilmittel von außen. Es bedarf der inneren Umkehr, der Orientierung auf das wahre Ich. Dazu bedarf es wiederum des Bewußtseins der Wahrheit und deren bedingungsloser Hinnahme. Es kommt darauf an, sich selbst getreu zu werden. Mancher freilich, der allzu eng in Täuschung und Selbsttäuschung verstrickt ist, kann an der plötzlichen Konfrontation mit der Wahrheit zerbrechen.

Wie beim ersten Drama Millers wird auch hier der Held, Willy Loman, von der Liebe seiner Familie getragen, die für alle seine Fehler eine aus der Kraft der Liebe erwachsende Begründung und Entschuldigung findet, die wiederum Selbsttäuschung ist. Da heißt Geschwätzigkeit Temperament, Rechthaberei Energie des Erfolgsmenschen, sinnlose Phantastik, Reichtum an schöpferischen Ideen. Für seine Frau ist Willy „der schönste Mann der Welt", der von seinen Kindern „vergöttert" wird. Sie fordert von ihren Söhnen, die den Vater durchschauen, Achtung und will verhindern, daß er jemals erfährt, wie gründlich er durchschaut wurde. „He is a human being and a terrible thing is happening to him. So attention must be paid. He's not allowed to fall into his grave like an old dog. Attention, attention must be finally paid to such a person." (60)

Millers Haltung gegenüber seinem Helden ist vom Mitleiden bestimmt. Gerade darin aber trifft er heute auch die Menschen, die unter der gleichen Unsicherheit leben wie Willy Loman, die sich in Vorstellungen einrichten, an die sie nicht recht zu glauben vermögen, und die an ihnen festhalten, obwohl sie keinen Halt finden. Miller schildert in seinem Werk eine Lebenssituation, die allgemein verbreitet ist. Darin liegt das Geheimnis seines schnellen und bleibenden Erfolges, der stets andauernden Teilnahme, die sein Drama hervorruft. Gleichzeitig will das Werk über die passive Anteilnahme hinaus den Menschen helfen, sich selbst über das eigene Wesen und den Auftrag, den jeder in der Gemeinschaft erfüllen muß, klar zu werden. Es will Lebenshilfe sein.

* * *

Das Drama in vier Akten *"Hexenjagd"* ist 1953 entstanden, gegen Ende des Jahres in New York uraufgeführt und bereits im folgenden Jahr von deutschen Bühnen übernommen worden. Es beruht auf sehr gründlichen Studien der Geschichte Neu-Englands und seines Puritanismus. Aber es ist kein Geschichtsdrama im engeren Sinne. In historischem Gewand wendet es sich gegen Angst und Massenwahn, die nicht einmalige geschichtliche Erscheinungen sind, sondern auch in unserer Zeit immer wieder auszubrechen drohen. Es geht weiter gegen die Verhörmethoden, gegen Denunziation, Gesinnungsschnüffelei, Mißbrauch politischer Macht und alle Praktiken politisch-weltanschaulicher Meinungsforschung, die auch in der rnodernen Welt keine anderen sind als früher.

Als direkter Anlaß gilt die Tätigkeit der, 1950 unter dem Vorsitz des Senators Joseph McCarthy, der ein entschiedener Feind aller Kommunisten war, eingerichteten parlamentarischen Untersuchungsausschüsse zur Aufdeckung antiamerikanischer Umtriebe, die zahllose Verhöre, Zeugenvernehmungen und Leumundsbefragungen vornahmen. Die Methoden des Ausschusses waren sehr umstritten. 1954 mußte McCarthy nach mehrfachem parlamentarischem Tadel den Vorsitz des Ausschusses abgeben. (Er ist 1957 gestorben). Miller wurde wie fast alle seiner dichtenden Zeitgenossen - unter ihnen auch der im amerikanischen Exil lebende Bert Brecht, der sich damals entschloß, die USA zu verlassen - vor dem Ausschuß verhört.[18]

In seinem Werk gibt Miller sehr ausführliche Bühnenanweisungen, die weit über das für die Bühne Notwendige hinausgehen und sich zu historisch-kritischen Exkursen ausweiten. Mit ihnen gewann er großen Einfluß auf die amerikanische Öffentlichkeit.

Der deutsche Titel weist eindeutig auf die historischen Ereignisse. Miller aber nannte sein Werk "The Crucible", was "Der Schmelztiegel" bedeutet. Im Schmelztiegel werden die Stoffe gesondert und geläutert, das Metall und die Schlacke, das Wertvolle und das Wertlose voneinander geschieden. So wird auch die Handlung zur Läuterungsprobe für die betroffenen Menschen, insbesondere für John Proctor, auf ihren wahren und unvergänglichen menschlichen und sittlichen Wert. Es dürfte allerdings schwer sein, ein deutsches Wort zu finden, das diesen Sinn des amerikanischen Titels genau träfe. Jedenfalls hat sich am deutschen Theater die "Hexenjagd" als zugkräftig erwiesen.

Was liegt historisch zugrunde?[19]

E.M. Budick[20] schreibt dazu in seinem Essay "History and Other Spectres in Arthur Miller's "The Crucible":

"... guilt is a major force behind and throughout this drama. The major action of the play revolves, therefore, not around the courts and their oppression of the community (...), but rather around the figure of Miller's goodman, John Proctor. (...) The personal history of Proctor is the very best of the Puritan theocracy, just as the story of the Puritans is the very best kind of history of America itself, for both stories probe to the roots, not only of a community, but of the very mentality which determined that community ..."

---

18) vgl. ausführlich dazu A. Miller, Zeitkurven, S. 127 ff.
19) entnommen dem Band: An Outline of American History, S. 45
20) E.M. Budick, History, S. 538-539.

3.2   Wort- und Sacherklärungen

1 **Albany**: Hauptstadt des Staates New York am Hudson-River.

2 **Anarchie**: Gesetzlosigkeit, rechtloser Zustand.

3 **Andover**: kleine Stadt im Nordosten des Staates Ohio.

4 **Bangor**: Stadt im Staate Maine, dem nordöstlichsten der Neu-England-Staaten

5 **Barbados**: Die östlichste der kleinen Antilleninseln, heute meist von Negern und Mulatten bewohnt, in der Kolonialzeit Stützpunkt des Sklavenhandels. Barbados wurde 1625 von Engländern besiedelt und 1652 durch Cromwell englischer Besitz.

6 **Beilkespiel**: Eine frühe Art Tischballspiel, eine Art Billard. Es war in die Hafenstädte Neu-Englands für Seeleute u.ä. eingeführt worden und galt den Puritanern als sündhaft und verwerflich.

7 **Beverly**: Stadt im Staate Virginia.

8 **Block**: ... in den Block legen; ein altes Folterinstrument, in das der Delinquent mit den Füßen eingeschlossen und dem Volke zum Spott zur Schau gestellt wurde.

9 **Boston**: Hauptstadt des Staates Massachusetts. „Wiege der Revolution" durch die „Boston Tea Party" (1776).

10 **Hartford**: Hauptstadt des Staates Connecticut am Connecticut-River, Schwerpunkt des Tabakwarenhandels.

11 **Harvard**: Die Harvard University, die 1636 zu Cambridge in Massachusetts als Predigerseminar gegründet und nach ihrem Mitstifter, einem puritanischen Geistlichen, benannt wurde. Heute eine der führenden Hochschulen Amerikas von Weltruf.

12 **Ignorant**: Nichtwisser, Unwissender.

13 **Incubi, Succubi**: nach mittelalterlichem Glauben Teufel, die mit Hexen buhlten. Ihr Vorbild sind römische Dämonen, mit denen man das Alpdrücken erklären wollte. In Hexenprozessen in allen Teilen der Christenheit spielen diese Buhlteufel, Erzeugnisse einer ausschweifenden Sexualphantasie, eine große Rolle.

14 „**In nomine Domini Sabaoth sui filique ite ad infernos**": Exorzismus oder Teufelsbeschwörung, wie sie schon früh in der Kirche geübt wurden und auch von den lutherischen und reformierten Konfessionen übernommen wurden: „Im Namen des Herrn Sabaoth und seines Sohnes: Geh zur Hölle!" Die Teufelsbeschwörung beruht auf dem Glauben, daß der Teufel das Aussprechen des heiligen Namens nicht erträgt, so wie er auch gegen heilige Zeichen, das Kreuz oder das Sanktissimum allergisch ist.

15 „**ipso facto**": Juristenlatein: durch die Tat selbst, durch die Tat an sich.

16 **Jamestown**: 1607 in der Nähe der Stelle, an der bereits Raleigh 1585 an der Roanoke-Bay eine bald wieder eingegangene englische Kolonie geschaffen hatte, gegründet. Raleigh hatte die Kolonie Virginia - zu Ehren der Königin Elisabeth - genannt, dieser Name blieb. Jamestown war die erste dauerhafte Kolonie in Amerika. Im Gegensatz zu den neu-englischen aber war sie von Pflanzern gegründet, die Tabakanbau mit Sklaven betrieben. Mit den Puritanern hielt Virginia zunächst wenig Kontakt, der religiöse Gegensatz war unüberbrückbar. Im Unabhängigkeitskrieg übernahm Virginia die führende Rolle, auch Washington war ein virginischer Pflanzer.

17 **Long Island**: Die größte Insel an der Ostküste der USA im Staate New York mit vielen Seebädern. Auf ihrem Westteil liegen die New Yorker Stadtteile Brooklyn und Long Island City.

18 **Marblehead bis Lynn**: heute größere Vororte von Boston, um 1690 Ortschaften im Süden der 1630 von der Massachusetts-Bay-Company als Ausgangspunkt der bäuerlichen Besiedlung der Kolonie gegründeten Hafenstadt. Der eine Vorort liegt im Norden, der andere im Süden des Stadtgebietes.

19 **Portland**: Hafenstadt im Süden des Staates Maine.

20 **Providence**: Hauptstadt des Staates Rhode Island.

21 **Punchingball**: Übungsgerät für Boxer.

22 **Quaker**: Sie nennen sich selbst: Society of Friends. Um die Mitte des 17. Jahrhunderts wurde die Glaubensgemeinschaft von G. Fox in England gegründet. 1681 ließ sich der Quaker William Penn gegen ererbte Schuldforderungen an die englische Krone vom König ein Gebiet am Delaware-Fluß als Eigentum verleihen, auf dem er

Philadelphia als Mittelpunkt der Kolonie Pennsylvania gründete. 1683 und 1699 gab Penn der neuen Kolonie eine Verfassung, die in schroffem Gegensatz zu den Verfassungen der neu-englischen Kolonie stand, weil sie auf dem Grundsatz völliger Glaubensfreiheit und einer friedlichen Zusammenarbeit mit den Indianern beruhte. Auf Grund dieser Verfassung wanderten 1683 deutsche Mennoniten (Germantown) ein. Von den Puritanern (Kongregationalisten) Neu-Englands wurden die Quaker, die jede hierarchische Verfassung und geistliche Obrigkeit ablehnen und keine Prediger haben, als höchst gefährliche Feinde angesehen.

23 **Salem**: Heute Hafenstadt in der Metropolitan Area von Boston im Staate Massachusetts. 1630 von der Massachusetts-Bay-Company gegründet. Wenn Miller sagt, daß die Stadt im Jahre 1692 „vor kaum vierzig Jahren entstanden" sei, so ist mehr an die Stadtwerdung als an die offizielle Gründung der Ansiedlung gedacht. Salem hat auch jetzt noch eine historische Altstadt mit stilvollen Bauten der Kolonial- und Nachkolonialzeit.

24 **Towarisch**: russisch, hier scherzhafte Anrede: Genosse.

25 **Tunney**, Gene: amerikanischer Boxmeister zur Zeit der Entstehung des Dramas.

26 **Virginia University**: Universität des Staates Virginia in Charlotteville. An ihr Student gewesen zu sein, macht gesellschaftsfähig.

27 **Waterbury**: Stadt im Staate Connecticut am Naugatuck River, Mittelpunkt der amerikanischen Messingindustrie.

28 **Yonkers**: Vorstadt im Süden von New York, links vom Hudson.

3.3 Das Bühnengeschehen

3.3.1 - Der Tod des Handlungsreisenden -

Zur Szene

Wie der Beruf des Handlungsreisenden, so ist auch der Schauplatz des Geschehens sinnbildlich gedeutet. Die klassischen Gesetze des Dramas und jegliche realistische Bühnengestaltung sind aufgehoben. Die rasch wechselnden Bilder berichten von dem verfehlten Leben des Helden, ohne daß dazu eine Veränderung nötig würde. Die äußere und die innere Wirklichkeit gehen ineinander über, das heißt, daß nicht nur die Ereignisse des Augenblicks, sondern auch die Erinnerungen und Wunschträume sichtbar gespielt werden.

Man sieht auf der Bühne das kleine, zerbrechlich wirkende Haus Willy Lomans, das auf allen Seiten von riesigen Mietskasernen fast erdrückt und verdunkelt wird. Hauptschauplatz ist die Küche in der Mitte des Hauses, deren Inventar, darunter ein Kühlschrank, ganz realistisch wirken soll. Rechts von ihr liegt auf einem wenig erhöhten Podium das Schlafzimmer der Eltern mit zwei eisernen Bettstellen. Über einem Bett die silberne Trophäe aus einem sportlichen Wettkampf. Hinter der Küche liegt auf einem etwas höheren Podium das zunächst nur angedeutete Schlafzimmer der beiden Söhne, dessen Fenster erkennen läßt, daß es eine Dachkammer ist.

Miller verlangt ausdrücklich das Licht als Mittel der Einstimmung für den Zuschauer. Zu Beginn des Spieles liegt über dem Haus und der Vorbühne das kühle, beruhigende Blau des Himmels, während die Umgebung „in einem bösen Orang", einer aufreizenden und unheimlichen Farbe, glüht. Die einzelnen Teile des Hauses können abwechselnd aufgehellt und damit Spielfläche werden. Zunächst geschieht das mit dem Schlafzimmer der Söhne hinter der Küche. Charakteristisch ist auch die Anweisung für die Szene, in der Howard, der junge Chef, sich nicht traut, dem Reisenden, der 34 Jahre für die Firma geschuftet hat, zu sagen, daß er ihn entlassen will und ihn unter einem Vorwand allein läßt. Die Bühnenanweisung schreibt vor, daß sein Stuhl, sobald er abgetreten ist, „von einem sehr hellen, eigentümlichen Licht beleuchtet" wird. Sinnbildlich ist damit angedeutet, daß es auch für Willy Loman hell wird, daß er anfängt, die harte Wirklichkeit und Wahrheit hinter dem Nebel seiner Illusion zu erkennen.

Zum Licht tritt als deutendes Element die Musik, die hinter der Bühne die Auftritte verschiedener Gestalten oder Höhepunkte des Geschehens begleitet. Durchgeführt wird eine Flötenmelodie, deren Thema nach Millers Forderung „das Gras, die Bäume und der Himmel" sind. Sie bildet zu Beginn des Stückes eine Ergänzung zu der traumhaften Atmosphäre des Hauses und der bedrückenden seiner Umgebung. Sie erklingt wieder am Ende des Geschehens, als die Angehörigen sich vom Grabe Willy Lomans entfernen, als er endgültig einsam und allein mit seinen Träumen ist. Musik ertönt erneut auf, wenn sich auf der Bühne Traum und Wirklichkeit vermischen. Ähnliche dramaturgische Funktionen sind auch bestimmten Geräuschen zugedacht wie dem Lachen der unsichtbaren Frau, mit der Willy auf einer seiner Reisen einst ein Abenteuer erlebte, der Lärm des Großstadtverkehrs und das Aufheulen des Motors von Willys Wagen vor der Katastrophe. Dahin gehört auch das Diktaphon, das Tonbandgerät, das Howard dem alten Reisenden, den er entlassen will, umständlich als Neuerung vorführt, um seine eigene Verlegenheit zu überbrücken. Einzelne Gestalten sollen nach der Bühnenanweisung durch bestimmte musikalische Motive charakterisiert werden.

Um das traumhafte Geschehen sichtbar zu machen, fordert Miller, daß die Dekoration transparent gemacht wird. Die Szenen, die sich in Willys Phantasie zutragen, spielen auf der Vorbühne. Solange die Handlung in der Gegenwart spielt, richten sich die Schauspieler nach den imaginären, im Bild angedeuteten Wänden des Hauses und betreten es nur durch die Tür. In den Szenen, die in der Vergangenheit spielen, bei den Auftritten der jungen Frau Linda oder des Bruders Ben, werden die Grenzen aufgehoben. Die Schauspieler betreten oder verlassen die Vorderbühne „durch die Wand". Soll die Szene wechseln, für das Büro, die Weinstube oder das Hotelzimmer, so genügt es, wenn die Konturen dunkel gehalten werden und die hell erleuchtete Spielfläche durch einige Requisiten aufgefüllt wird, die dann bequem - durch die Darsteller selbst - entfernt werden können.

1. Akt: (7-74)

Willy Loman kommt mit seinen Musterkoffern in sein Haus zurück. Er wollte wieder auf die Reise gehen, hat es aber nicht geschafft. Der Zustand tiefer Erschöpfung macht ihm unmöglich, den Wagen zu fahren. Schon innerhalb New Yorks mußte er umkehren. Seine Frau sucht Gründe für sein Versagen in Überarbeitung, vielleicht auch nur in der aus Sparsamkeit beibehaltenen unzureichenden Brille. Sie glaubt, daß seine Firma ihm nach jahrzehntelangem treuen Dienst eine Beschäftigung in New York geben und das Reisen ersparen muß. Aber der alte Chef der Firma, der ihn schätzte, ist tot. Es ist zweifelhaft, ob sein Sohn die alten Verhältnisse richtig kennt. Willy ist auch besorgt wegen seiner Söhne. Sein Ältester, Biff, ist nach längerem Fernbleiben unerwartet heimgekommen. Trotz seiner vierunddreißig Jahre hat er in allem, was er versuchte, nie ausgehalten, noch immer hat er keine angemessene Arbeit und kein ihr entsprechendes Einkommen. Der Vater aber träumt ihn schon wieder in eine Rolle als Vertreter, in der er sehr erfolgreich sein wird. Die Erinnerungen an die sportlichen Erfolge Biffs in seiner Schulzeit, die er ohne Abschluß abbrach, nachdem er in der Vorprüfung versagt hatte, überwältigen ihn. In die Träume brechen aber die sehr realen Sorgen und Lasten des Alltags und vermischen sich mit Erinnerungen an früher.

Während Linda ins Schlafzimmer zurückgeht und Willy sich in die Küche begibt, um etwas zu essen, wird das Schlafzimmer der Söhne hell. Sie machen sich Sorgen um den Vater, von dem abgerissene Wendungen eines Selbstgesprächs zu ihnen dringen. Die beiden schwelgen in Erinnerungen von mehr oder weniger prahlerischem Charakter über Liebesabenteuer mit recht zweifelhaften Frauen. Happy, der den selbstbewußteren Eindruck macht, ist nicht bereit, zuzugeben, daß er erfolglos ist, Biff dagegen leidet unter Selbstvorwürfen wegen seines Versagens und der Enttäuschung, die er den Eltern und auch sich selbst bereitete. Er suchte in der Weite das Abenteuer und flüchtete vor seiner Unzulänglichkeit ins Vaterhaus zurück. Ihre zwischen halber Wahrheit und unrealistischem Renommieren schwankenden Reden werden durch die Stimme des Vaters unterbrochen, der im Halbdunkel der Bühne ein erdichtetes Gespräch aus Erinnerungen und Wünschen mit den Söhnen führt. Es gipfelt in dem prahlerischen Versprechen, sie auf eine Reise mitzunehmen: "You an Hap and I, and I'll show you all the towns. America is full of beautiful towns and fine, upstanding people. And they know me, boys, they know me up and down New England. The finest people. And when I bring you fellas up, there'll be open sesame for all of us, 'cause one thing, boys: I have friends. I can park my car in any street in New England, and the cops protect it like their own. This summer, heh?" (31)

Vergangene herbe Enttäuschungen mischen sich in die Träume, bis Linda realistisch wieder in der Küche sitzt und Willy in ein Gespräch über die Söhne verwickelt, in das sich auch der junge Bernhard einmischt. Durch die Unruhe angelockt, kommt zunächst Happy hinzu, dem der Vater bedrückt gesteht, daß er nicht mehr Auto fahren kann. Zum erstenmal taucht in diesem Gespräch auch die mit Wunschvorstellungen vermischte Erinnerung an den Onkel Ben auf, der sich schon jung aufmachte, den großen Erfolg zu suchen. Sorge um den unerwartet von der Reise zurückgekehrten Freund führt auch Charley herbei. Um Willy abzulenken, fordert er ihn auf, mit ihm Karten zu spielen. Willy aber vermag nicht, sich auf das Spiel zu konzentrieren. Die Sorgen lassen ihn nicht zur Ruhe kommen. Charley, der in seiner Sachlichkeit Willys bedrängte Lage längst durchschaut, der auch genug Erfahrungen mit ihm hat, nachdem er ihm oft borgte in der gutherzigen Erwartung, sein Geld trotz aller gegenteiligen Beteuerungen Willys abschreiben zu müssen, bietet ihm vorsichtig und taktvoll eine Beschäftigung an. Willy weist ihn ab, bricht aber zusammen und gesteht, daß er „völlig blank" ist. Während sie zerstreut spielen, glaubt Willy, den Bruder Ben zu sehen. Als er Charley verwirrt mit dem Namen des Bruders anredet, erkundigt sich dieser nach ihm und erfährt, daß Bens Frau vor einigen Wochen aus Afrika die Nachricht vom Tode des Bruders schickte. Hoffnung auf eine Erbschaft bleibt allerdings nicht, weil Ben sieben Söhne hat. (47)

Da sich Willy in Träumen verliert, bricht Charley das Spiel ab und geht. Willy ist im Traumgeschehen in frühere Jahre versetzt, als er und Linda noch jung waren, Ben in die weite Welt ging und ihn mitnehmen wollte. In diese Träume aber mischen sich Erinnerungen an die Zeit, da er den heranwachsenden Jungen gegenüber allzu weichherzig war und ihre die Grenze des noch Zulässigen überschreitenden Streiche als Beweis ihrer Begabtheit nahm. Er verweilt in seinem Traumreich, auf der Vorderbühne, während die realistische Handlung sich in der Küche fortsetzt. Es folgt eine Aussprache zwischen Linda und Biff. Die Mutter möchte zwischen Vater und Sohn vermitteln, deren Verhältnis gespannt ist; Biff aber versteht den Vater nicht mehr. Er vergleicht ihn mit Charley, der sich und die Welt nüchtern und sachlich sieht, der seine eigenen Möglichkeiten richtig einschätzt und nützt, sich nicht „dauernd die Seele aus dem Leib kotzt". Aber die Mutter belehrt ihn, daß man die Menschen, mit denen man umzugehen hat, nehmen muß, wie sie sind. Etwas Schreckliches geht mit dem Vater vor. Vielleicht hat er sein Gleichgewicht verloren. Das hat aber sehr reale Gründe. Nachdem er sechsunddreißig Jahre für die Firma arbeitete, hat sie ihm das Gehalt gestrichen. Willy arbeitet seit Wochen nur auf Provision wie irgendein Anfänger. Er macht keine Geschäfte mehr. Die alten Freunde, bei denen er beliebt war und die ihm irgendwelche Aufträge zuschusterten, sind tot oder haben sich aus dem Geschäft zurückgezogen. Früher hat er sechs oder sieben Besuche täglich gemacht. Jetzt fährt er tausend Kilometer, und wenn er ankommt, kennt ihn niemand mehr, nirgendwo ist er willkommen. Aber die anderen sind nicht undankbarer als die eigenen Söhne wie Happy, der „ein läppischer Schürzenjäger" ist. Biff entschließt sich auf die Vorstellungen der Mutter hin, in New York zu bleiben, vor allem als er erfährt, daß die Mutter berechtigte Gründe hat zu glauben, daß der Vater versuchte, sich umzubringen, als sie schließlich schluchzend berichtet, daß sie im Hause sichere Beweise dafür fand, daß Willy mit dem Gedanken spielt, Selbstmord durch Gasvergiftung zu begehen. „In fieberhafter Selbstanklage" verspricht Biff: "All right, pal, all right. It's all settled now. I've been remiss. I know that, Mom. But now I'll stay, and I swear to you, I'll apply myself (...) It's just - you see, Mom, I don't fit in business. Not that I won't try. I'll try, and I'll make it good." (64)

Happy bestärkt ihn voller Optimismus in dieser Absicht. Biff will es bei Bill Oliver versuchen, bei dem er früher einmal beschäftigt war. Willy, der hinzukommt, erwärmt sich nach anfänglichem Widerstand auf Happys phantastische Pläne hin sofort wieder und gibt Biff praktische Ratschläge für die Besprechung mit Bill Oliver, die nur den Nachteil haben, daß sie Phantasie sind und keinen Rückhalt an den wirklichen Zuständen haben. Während alle schlafen gehen, verliert sich Willy in traumhafte Erinnerungen an Biffs Sporterfolge als Student, die ihm Verheißung für eine goldene Zukunft sind. Biff aber entdeckt hinter dem Heizkessel, dessen blaurote Flämmchen sinnbildhaft bedrohlich aufglühen, den Gasschlauch, den er entfernt. Entsetzt fühlt er, daß von ihm des Vaters Leben abhängt.

2. Akt: (75-147/151)

Er spielt am nächsten Morgen. In heiterer Stimmung sitzen Linda und Willy beim Frühstück. Willy ist sicher, daß Biff jetzt wirklich zu einer gewissen Festigkeit gekommen ist. Er selbst will zu Howard gehen, um ihn um eine Beschäftigung in New York zu bitten. Wenn er zurückkommt, will er sich wieder um den Garten kümmern. Zwar dringen die Alltagssorgen auch in die optimistische Stimmung des hoffnungsfrohen Morgens, scheinen aber überwindlich. Bevor Willy geht, erinnert sich Linda daran, daß ihr die Söhne auftrugen, den Vater auf den Abend in Franks Weinstube zum Essen einzuladen. Erfreut über die Söhne entfernt sich Willy. Sobald er fort ist, ruft Biff an. Beglückt teilt ihm Linda mit, daß Willy den Gasschlauch selbst entfernt hat. Sie weiß natürlich nicht, daß Biff es war. Obwohl Biff ihr sagt, daß er von Bill Oliver noch nicht empfangen wurde, redet sie ihm zu, den Mut nicht zu verlieren. Vor allem soll er am Abend nett zum Vater sein. Während es um sie dunkel wird, rollt Howard einen Schreibmaschinentisch mit einem Diktaphon herein. Das Licht konzentriert sich auf ihn, als er sich mit dem Apparat beschäftigt und Willy hereinkommt.

Howard hält Willy zunächst hin. Wie um die gegenseitige familiäre Bindung zu betonen, führt er ihm umständlich die Stimmen seiner ganzen Familie auf dem Tonbandgerät vor. Endlich kann Willy sein Anliegen vorbringen, stößt aber auf Unverständnis. Angeblich gibt es keinen Posten für ihn in New York trotz allen guten Willens Howards. Geduldig hört der junge Chef die alten Geschichten Willys an, aber er bleibt dabei: Geschäft ist Geschäft. Willy, der den Widerstand merkt, aber nicht an ihn glauben will, reduziert vergeblich seine an sich schon bescheidenen Lohnforderungen. Die Erinnerungen an Versprechungen seines Vaters lösen bei Howard eine gewisse Verlegenheit aus, stimmen ihn aber nicht um. Als Willy immer erregter wird, läßt Howard ihn allein mit der Mahnung, sich zu beruhigen. Willy hat erkannt, daß er bei Howard kein Entgegenkommen finden wird. In einer Art Verzweiflung verspricht er schließlich, wieder auf Reisen zu gehen. Nun erklärt ihm Howard hart, aber entschieden, daß er die Firma nicht mehr vertreten soll. Wohl vermeidet er, die Entlassung offen auszusprechen, redet sich auf Willys Erholungsbedürftigkeit aus und erinnert ihn daran, daß jetzt die erwachsenen Söhne für den Vater, der sich für sie aufopferte, sorgen müssen. Als Willy immer erregter noch immer nicht begreifen will, beendet Howard das Gespräch mit der Aufforderung, die Muster gelegentlich abzuliefern. Er endet mit der vagen Aufforderung: "You'll feel better, Willy, and then come back and we'll talk. Pull yourself together, kid, there's people outside." (90)

Während Willy erneut in Erinnerungen an begrabene und doch lebendige Hoffnung der Vergangenheit versinkt, in denen Ben, die junge Linda, Biff als Student mit der Hoffnung, eine Sportkanone zu werden, Charley und sein Sohn Bernard, der einst Biff bewunderte, mitspielen, wechselt die Spielfläche in Charleys Büro, in dem der jetzt erwachsene Bernard, ein selbstsicherer junger Mann, sitzt. Die Requisiten lassen erkennen, daß er vor einer Reise steht. Auf dem Gang spricht Willy, der aus dem Fahrstuhl kommt, auffallend laut mit sich selbst. Die Sekretärin berichtet Bernard, daß sie mit ihm nicht fertig wird. Willy ist immer noch in einer Art Entrückung der Träume, hinter denen Verzweiflung und Enttäuschung stehen, wird aber ruhig und klar, als er Bernard sieht. Bernard erzählt ihm, daß er einen Fall in Washington übernommen hat, und obwohl es sich, wie Willy erst später, wie beiläufig von Charley erfährt, um einen Fall vor dem Obersten Gerichtshof handelt, bewundert er Bernard neidlos. Ruhig erzählt dieser weiter, daß er bei einem Freunde wohnen wird, der einen eigenen Tennisplatz hat. Zwar beginnt Willy daraufhin, mit erfundenen Geschichten über Biff zu renommieren. Aber er kann auf die Dauer dem Sohne des Freundes und Jugendfreund Biffs, dessen Erfolge ihm so recht das Versagen seiner Söhne vor Augen führen, seine innere Bewegung nicht verbergen. Er zermartert sich den Kopf darüber, ob er nicht irgendwie mitschuldig ist am Versagen Biffs. Behutsam erinnert ihn Bernard daran, daß Biff, als er in der Vorprüfung durchgefallen war, dem Vater nach Neu-England nachreiste, um bei ihm Hilfe zu suchen. Zum erstenmal erfährt Willy, daß Biff völlig verändert zurückkam. Bernard, der so große Stücke auf den Freund hielt, konnte sein seltsames Verhalten nicht verstehen und versuchte, ihn wieder zur Vernunft zu bringen. Seitdem beschäftigt Bernard die Frage, was damals in Boston passiert sein mag. Über seine vorsichtige Frage gerät Willy in eine unbegreifliche Erregung. Charley kommt dazu und mahnt Bernard daran, daß es Zeit für den Zug ist. Ohne zu fragen, zählt er dem Freund fünfzig Dollar vor, die er ihm „borgen" will. Willy windet sich, aber er muß dem Freund gestehen, daß er mehr Geld braucht und entlassen worden ist. Charley geht auf seine Wünsche ein, bietet ihm aber auch, weil die Dinge nicht einfach so weiter gehen können, eine Beschäftigung an: "Now, listen, Willy, I know you don't like me, and nobody can say I'm in love with you, but I'll give you a job because - just for the hell of it, put it that way..." (104) Aber wieder lehnt Willy ab. Dennoch gibt Charley ihm mehr Geld, damit er seine Versicherung bezahlen kann. Willy sinnt unverständlicherweise nach: "Funny, y'know? After all the high-ways and the trains, and the appointments, and the years, you end up worth more dead than alive." (105)

Als die beiden abgegangen sind, bleibt die Bühne einen Augenblick vollständig dunkel. Dann leuchtet hinter einem Vorhang ein Lichtschein auf, die Weinstube wird improvisiert, in die zuerst Happy kommt. Er erzählt Stanley, daß die Wiederbegegnung mit dem Bruder, der im Westen ein großer Viehzüchter ist und heute einen großen Abschluß tätigt, gefeiert werden soll. Ein „aufgedonnertes Mädchen" kommt in das Lokal, das Happy anscheinend schon von weitem wittert. Zunächst schwindelt er dem Mädchen vor, Reisender für Champagner zu sein und lädt es ein. Das Mädchen nimmt die Einladung ohne Ziererei an und behauptet, Fotomodell zu sein. Als Biff kommt, stellt Happy, der sich selbst als Absolvent der Militärakademie ausgibt, ihn als großen Fußballstar, als Mittelstürmer der New York Giants vor. Er schlägt vor, daß das Mädchen zur Ergänzung der Gesellschaft für einen fröhlichen Abend telefonisch eine Freundin herbeiruft. Das Mädchen geht darauf ein. Während es telefoniert, berichtet Biff, daß er von Bill Oliver überhaupt nicht empfangen wurde, aber zufällig in sein Büro geriet und der Versuchung nicht widerstehen konnte, seinen Füllfederhalter vom Schreibtisch zu stehlen. Nun weiß er nicht, was er dem Vater sagen soll. Happy rät ihm, Ausreden zu gebrauchen, aber auf keinen Fall den Vater mit der Wahrheit zu enttäuschen. Willy kommt und wird zum Umtrunk aufgefordert. Er ist aber begierig zu erfahren, was Biff erlebte. Biff ringt mit sich selbst. Er will die Wahrheit und wagt doch nicht, sie offen auszusprechen. Die Lage verschlimmert sich für ihn, als der Vater unumwunden erklärt, daß er entlassen worden ist und eine gute Nachricht für die Mutter braucht, „die ihr Leben lang gewartet und gelitten hat". Ihm fällt nichts ein. Seine Hoffnung bleibt Biff. Mühsam und mit Happys Hilfe gibt Biff ihm eine erdichtete Geschichte von der Besprechung mit Bill Oliver. Willy spürt hinter allem die Wahrheit, versinkt aber dann erneut in eine traumhafte Entrückung, die vergangene Erlebnisse wirr mit bruchstückhaft erfaßtem Geschehen der Gegenwart zusammenfaßt. Als Willy begriffen hat, daß Biff den Füllfelderhalter stahl, verliert er sich völlig in die Erinnerung an Ereignisse, die nach seiner Meinung die Ursache dafür waren, daß Biff sich gegen ihn auflehnte und zu stehlen begann, um seinem eigenen Fortkommen im Wege zu stehen. Mühsam versucht Willy, die erdichtete Geschichte, mit der ihn die Söhne aus der Verrückung holen wollen, zu erfassen, sie zu glauben, aber er begreift nur, daß der Sohn totzig erklärt, daß er keine Verabredung mit Bill Oliver hat. Willy schlägt Biff und geht schwankend vom Tisch fort. Unterdessen kommen die beiden Mädchen. Für Willy aber wird die Erinnerung an jenes Ereignis mit Biff übermächtig, das ihm einst das Vertrauen des Sohnes raubte. Als Biff im Vorexamen durchgefallen war, eilte er hilfesuchend zum Vater nach Boston. Er traf ihn im Hotel mit einer fremden Frau, die er nicht vor dem Sohn zu verbergen vermochte. Während der Traumhandlung läuft die reale Handlung weiter. Die Mädchen sind über das ungewöhnliche Verhalten des Vaters befremdet. Biff versucht, ihn zu verteidigen. Er gerät in Streit mit Happy, der ihm vorwirft, immer weggelaufen zu sein, worauf Biff den Gasschlauch aus der Küche hervorzieht und Happy auf die Gefahr der Stunde hinweist. Aber dann flieht Biff erneut, er kann dem Vater nicht ins Gesicht sehen. Happy folgt ihm mit den Mädchen. Willy aber erlebt in realistisch gespielter Erinnerung jene Stunde mit der fremden Frau, die ihm so manchen Weg auf seinen Geschäftsreisen ebnete, der er die seiner Frau zugedachten Seidenstrümpfe schenkte. In diese Stunde brach der hilfesuchende Biff herein.

Als Willy wieder zu sich kommt, sind die Söhne mit den Mädchen losgezogen. Stanley hilft ihm auf. Er ist so ergriffen, daß er den Geldschein, den ihm Willy zusteckte, wieder heimlich in dessen Jackentasche steckt. Willy geht mit der Andeutung, daß er noch Samen für den Garten besorgen muß. Eine lange Pause tritt ein, nach der die Küche erhellt und damit zur Spielfläche wird. Biff und Happy kommen. Happy trägt einen Strauß langstieliger Rosen. Sie glauben sich allein und entdecken erst verspätet im Wohnzimmer die Mutter, die mit Willys Mantel auf dem Schoß sitzt und jetzt ruhig, aber unheildrohend auf Happy zugeht und ihm, der unbefangen nach dem Vater zu fragen versucht, die Rosen aus der Hand schlägt. Die Mutter aber wendet sich nun an Biff, der sich heftig gegen Happys Aufforderung, ins Schlafzimmer zu kommen wehrt, mit der Frage: "Don't you care whether he lives or dies?" (132) Die Ausreden Happys, der Vater habe sich gut unterhalten, weist sie ab. Sie fordert von beiden, die den Vater einfach im Restaurant sitzen ließen, daß sie ein für allemal das Haus verlassen. Happy macht noch Einwendungen, aber Biff ist fest zur Wahrheit entschlossen. Nun will er auch mit dem Vater, den man im Garten hämmern hört, offen reden. Linda versucht daraufhin betroffen, es ihm auszureden. Biff aber geht in den Garten zum Vater.

Willy legt in der Nacht den Samen. Ihn beschäftigt sein „letztes Geschäft", das garantiert zwanzigtausend Dollars bringt. Er ruft nach Ben, der seiner Phantasie erscheint und mit ihm ganz sachlich das Für und Wider des "Geschäftes" erläutert. Endlich wird Biff, der ihn für eine Null hielt, erkennen, wie beliebt er ist. Biff, der hinzutritt, unterbricht seinen Wachtraum. Er will ihm auf Wiedersehen sagen. Willy aber läßt ihn stehen und geht in die Küche. Biff folgt ihm und erklärt der Mutter, daß er endgültig fortgehen will. Niemand soll wissen, wo er weilt. Als er zu Willy tritt und ihn um die Hand zum Abschied bittet, will dieser sich in die Phantasien vom erfolgreichen Besuch Biffs bei Bill Oliver retten. Aber Biff bleibt bei der Wahrheit. Der Vater indessen verharrt dabei: "I want you to know, on the train, in the mountains, in the valleys, wherever you go, that you cut down your life for spite!" (140) Er selbst weist jede Verantwortung von sich ab. Als er weitere Andeutungen über zweifelhafte Vorhaben Biffs macht, wirft ihm der Sohn zornig den Gasschlauch auf den Tisch: "All right, phony! Then let's lay it on the line." (140)

Willy versucht, in Ausreden auszuweichen, aber der Sohn erklärt ihm, daß er kein Mitleid verdient. Nun will er sagen, wer der Vater ist und wer er selbst ist. Als Happy sich begütigend einzumischen versucht, weist ihn der Bruder ab als den Angeber, der immer „den Kopf voller Rosinen" hat. Immer hat der Vater falsche Hoffnungen auf ihn gesetzt. Wenn die Eltern drei Monate lang seine Adresse nicht wußten, so lag es daran, daß er wegen Diebstahls in Kansas im Gefängnis saß. Immer hat er sich durch Diebereien um jede Chance gebracht. Zuletzt stahl er den Füllfederhalter vom Büro Bill Olivers, weil er sich in dem Büro nicht zum Narren machen wollte. Er ist nur Dutzendware, der Vater ist es aber auch. Er ist ein Nichts. Das hat nichts mit Trotz zu tun. Er möchte endlich nur sein, was er ist, das ist alles. Weinend bricht Biff vor dem Vater, an den er sich klammert, zusammen. In zunächst sprachlosem Erstaunen nimmt Willy die Erkenntnis auf, daß sein Sohn ihn liebt. Aber er endet wieder in der Phantasie, die er hinausschreit: "That boy - that boy is going to be magnificent!" (144) Ben, der seinen inneren Augen wiedererscheint, ergänzt aber: "Yes, outstanding, with twenty thousand behind him." (144) Willy erfaßt kaum noch die liebevolle Aufforderung Lindas, nun, da alles beigelegt sei, schlafen zu gehen. Auch Happy scheint befreit. Er küßt die Mutter und verspricht, daß alles anders werden soll. Willy aber bleibt im imaginären Gespräch mit Ben, der ihn in seinem Vorhaben bestärkt. Schließlich ist er ganz allein. Erschreckt sieht er sich von Gesichtern und Stimmen umringt, gegen die er sich verzweifelt zu wehren versucht. Er stürmt um das Haus. Während Linda in großer Angst nach ihm ruft, hört man den Motor anspringen und ein Auto in voller Fahrt davonbrausen.

Requiem: (148-151)

Am Grabe Willys weilen Linda, die beiden Söhne, Charley und Bernard. Happy, der unverbesserliche Illusionist, der Willy so sehr gleicht, ist noch zornig auf den Vater: "He had no right to do that. There was no necessity for it. We would've helped him." (148) Linda aber versteht nicht, warum niemand von all seinen Bekannten zum Begräbnis kam. Sie glaubt, daß sie ihn wegen seiner Tat verurteilen. Charley antwortet sehr bestimmt: "Naa. It's a rough world, Linda. They wouldn't blame him." (148) Willys Beliebtheit war seine Illusion. Nicht einmal mehr zur Verurteilung reicht die Teilnahme der Bekannten. Gleichgültigkeit und Vergessen folgt dem Toten. Linda erfaßt aber auch nicht, warum es jetzt geschehen mußte, da sie zum erstenmal seit fünfunddreißig Jahren schuldenfrei sind. Sehr taktvoll, aber bestimmt sagt Charley die Wahrheit: "No man only needs a little salary." (148) Erst der tote Willy war so viel wert, daß seine Schulden beglichen werden konnten, erst die Lebensversicherung ermöglichte die Freiheit. Happy ist entschlossen zu beweisen, daß der Vater nicht vergeblich gestorben ist: "He had a good dream. It's the only dream you can have - to come out number - one man. He fought it out here, and this is where I'm gonna win it for him." (150)

Biff wirft ihm nur einen hoffnungslosen Blick zu. Er möchte die Mutter, die fassungslos nicht zu weinen vermag, nach Hause bringen. Über Linda aber kommt allmählich das schreckliche Verstehen. Über diesem Begreifen steigt ein Schluchzen in ihrer Kehle auf. Sie kann endlich weinen. So läßt sie sich von Biff, der vor ihr die Wahrheit erkannte, nach Hause führen. Charley und Bernard folgen, als letzter schließt sich Happy an, um wieder in die Welt zurückzukehren, an der Willy zerbrach.

Das irreale Geschehen:

Das reale Bühnengeschehen ist nicht nur begleitet, sondern ständig durchdrungen von den Gestalten und Ereignissen aus der Phantasie, genauer aus den Erinnerungen Willys. Die auftretenden Personen werden auch in ihrer Jugend gezeigt, wenn sie die Gegenwart auf die Vergangenheit durchsichtig machen sollen, um die Augenblickssituation zu begründen, um die Hemmnisse aufzudecken, die Willy Lomans verzweifelte gegenwärtige Lage verursachen. Der Unterschied zwischen dem Heute und Gestern ist in diesem traumhaften Geschehen aufgehoben. Alle diese bei Aufhebung auch der räumlichen Grenzen der Szene gespielten Szenen sind aber mehr als nur eingestreute Motivationen, obwohl sie die Beziehung zur Realität immer behalten, nie etwas absolut Unwirkliches darstellen.[21]

---

21) In seinem bekannten Bühnenstück "The Glass Menagerie" spielt Tennessee Willliams ebenso mit Elementen des Unwirklichen ("Erinnerungen"), die dort auch Bestandteile des realen Geschehens sind.

Aufgedeckt werden die „falschen Träume" Willys, der sich anders sieht, als er in Wirklichkeit ist, der aber auch die Macht über Menschen hat, sie an diesen anderen Willy Loman glauben zu machen, was ihm allerdings bei verschiedenen Menschen anders, bei seiner Frau und zeitweilig bei seinen Söhnen ganz, bei vielen Kunden zeitweilig, bei Charley und Bernard nie gelingt.

Die irrealen Szenen bilden eine Einheit mit den realen, vom gesamten Werk her gesehen sind sie nicht irreal. Auch in ihnen gibt es die Sorgen, die blieben, in ihnen wird von Provisionen und Abzahlungen gesprochen, sie sind der Alltag von jetzt, der immer auch der von früher ist. Verändert hat sich nur das Verhältnis Willys zur Umwelt, das damals noch ungetrübt war. Seine Frau ist jung und erwartungsfroh, die Söhne lieben den Vater, folgen ihm aus menschlicher Verehrung aufs Wort und sehen in ihm ihr Vorbild. Die Familienbande sind im Glauben an den Familienvater noch fest. Willy aber lebt damals wie jetzt in der Illusion, beliebt zu sein. Er findet immer wieder neue Gründe dafür. Das ist der Sinn der ersten Szene mit der Frau, die in das Gespräch mit Linda eingeblendet wird. Mit ihr unterhielt Willy ein im Grunde unverbindliches Liebesverhältnis in Boston. Sie ist Sekretärin in einer Firma, mit der er in Geschäftsverbindung steht, hilft ihm bei den Geschäften und unterhält sich gern und gut mit ihm. Sie wirkt äußerlich nicht ordinär, aber sie ist es. So ist das Verhältnis nichts Ernstes, sie wollte es wohl auch nicht so, es ist für sie nur eines unter anderen. Aber die Dichtung stellt die Verbindung dieses Abenteuers zu Linda, die sich für Mann und Kinder aufopfert, dar. Sie sitzt in der Küche und stopft Seidenstrümpfe. Man kann sie nicht einfach wegwerfen, sie sind zu teuer. Er aber schenkte jener Frau, die ihm nichts mehr als ein vorübergehendes Vergnügen zur Bestätigung seines eigenen Selbstbewußtseins, seiner Illusion, beliebt zu sein, war, solche Strümpfe, die er eigentlich seiner Frau gekauft hatte. Wollen und Können treffen bei Willy nicht zusammen, weder im Alltag noch in den großen Lebensentscheidungen. Alle solchen Traumszenen stehen in Verbindung mit der Wirklichkeit. Darum können sie auch nicht als surrealistisch bezeichnet werden, sie sind nur die Darstellung der inneren Wirklichkeit Willys, seiner Träume und Wünsche, seiner Illusionen und Selbsttäuschungen, die dennoch auf das reale Geschehen bezogen sind und nur aus ihm sinnvoll werden. Nichts geschieht, was über die Wirklichkeit hinauswiese. Das ist am deutlichsten an der Gestalt des verstorbenen Bruders Ben. Es ist völlig belanglos, wie weit sie der Erscheinung des tatsächlichen Ben entspricht. Wie alles Geschehen und alle Gestalten auf Willy relativiert sind, so ist es auch Ben. Er ist ein zweiter Willy, der Mann, der Willy nach dem Bild, das er von sich selbst erträumt, sein will. An ihm erfüllt sich der Traum vom großen Erfolg, auch Ben renommiert damit. Je mehr die Handlung fortschreitet, umso mehr identifiziert sich Willy mit Ben. Der Bruder ist der Sieger in jeder Lage, kalt, berechnend, rücksichtslos, aber eben deshalb erfolgreich. Das zeigt der Boxkampf mit dem jungen Biff, den Ben mit einem Trick beendet und an den er mit scheinbar gutmütiger Überlegenheit den Rat anschließt: "Never fight fair with a stranger, boy. You'll never get out to the jungle that way." (52) Hier ist Ben der illusionäre Held des Abenteuerfilms. An ihm ist nichts Individuelles, in jeder Lage ist er typisch für eine falsche Vorstellung Willys, für einen seiner falschen Träume. Immer aber ist Ben eilig, nie kann Willy den erträumten Bruder festhalten, der ihm die Illusion erhält, alles richtig zu machen, auch wenn er zum Erschrecken des immer korrekten Charley die Söhne zu abenteuerlichen kleinen Diebereien von Sand oder Bauholz vom fremden Neubau anleitet. Willy braucht jetzt diese Ergänzung seines angeschlagenen Selbst, weil er alt und unsicher geworden ist, weil er über alle Fehlschläge seines Lebens nicht mehr allein hinwegkommen kann.

Als Willy nicht mehr umhin kann, die Wahrheit anzunehmen, wird Ben für ihn die letzte, aber auch verhängnisvolle Stütze. Howard hat Willy entlassen. Da tritt der erträumte Ben vor ihn und macht ihm einen konkreten Vorschlag, der Willys lebenslangen Traum von einem Leben in freier Natur verwirklichen kann: "Now look here, William. I've bought timberland in Alaska, and I need a man to look after things for me." (90) Linda spielt in diesem Traum, der aus nackter Existenzangst geboren ist, mit. Sie hat Angst vor Ben und will, daß Willy ihn abweist. Aber Ben ist unbestechlich, er ist der Willy, der bei aller Illusion die Wahrheit kennt. Als Willy eben in dieser Szene sich in maßlosen Phantasievorstellungen ergeht, bleibt Ben einsilbig, er geht nicht mehr auf den Bruder ein. Er verläßt ihn und erscheint erst wieder, als Willy sein „letztes Geschäft" erwägt, wieder in der Illusion, wenigstens im Sterben zu zeigen, wie beliebt er ist und wie erfolgreich er sein kann. Gegen die Phantasien Willys setzt Ben sachliche, nüchterne Bedenken. Er ist der Mann des Wagnisses in Willys Traumvorstellungen. Willy weiß aber auch, daß der Erfolg kalte Berechnung erfordert, und diese weist Ben auf. Je mehr die Entscheidung naht, umso bedächtiger wägt er die Chancen des Gelingens ab. Damit verschwindet er endgültig. Willy bleibt allein. Vergeblich ruft er in den letzten Minuten nach ihm. Als Antwort hört und sieht er nur schreckhafte Geräusche und Gesichter, die ihn ängstigen und hetzen.

Der Schluß der Handlung ist Pantomime. Die Beerdigung Willys wird nicht gezeigt, die Enttäuschung, die sie für Linda bedeutet, ist nur als Reflexion im "Requiem" gegeben. Die einsame Cellomelodie, die dem Wirbel der Katastrophe folgt und in den Tag überleitet, geht in einen Trauermarsch über. In der Küche treffen sich Linda und die Söhne, zu denen Charley und Bernard kommen. Keiner spricht ein Wort. Wie über dem Anfang des Stückes liegt auch über dem Ende eine traumhafte Atmosphäre. Alle sind in Trauerkleidung, feierlicher Ernst liegt über der kleinen Versammlung. Dann gehen alle durch die markierten Wände der Küche auf die Vorbühne zu Willys Grab. Die Grenze zwischen Realem und Irrealem ist aufgehoben. Das kurze Requiem ist wie ein Kommentar zu dem Geschehen, das dieses Mal ohne Willy dort endet, wo es vor wenig mehr als einem Tag begann. Ein Mensch ist nach ruhelosem Leben weggegangen, auf die Reise ins Unbekannte. Aber nichts hat sich verändert, das Leben geht dort weiter, wo er den Kampf nicht mehr länger durchhalten konnte.

3.3.2 - Hexenjagd -

Vorbemerkung

In einer Anmerkung, die der Buchausgabe vorausgeschickt wurde, hebt Miller ausdrücklich hervor, daß das Schicksal jeder einzelnen Gestalt[22] genau dem ihres geschichtlichen Vorbildes entspricht. Aber die Quellen, Briefe, Gerichtsprotokolle und gewisse zeitgenössische Flugschriften reichten nicht immer aus, um ein abgerundetes Bild zu ergeben. Insbesondere über die Charaktere können die vorhandenen Unterlagen nichts Vollständiges und Abgerundetes aussagen. Soweit wie möglich richtete sich Miller auch darin nach den Quellen aus. Wo es geschieht, gibt er es in den Kommentaren, den erweiterten Bühnenanweisungen, genau an. Aus dramaturgischen Gründen hat Miller auch verschiedene Gestalten in einer

---

22) The fate of each character is exactly that of his historical model, and there is no one in the drama who did not play a similar - and in some cases exactly the same - role in history."
A. Miller. A Note on the Historical Accuracy of the Play, S. 11.

verschmolzen und das Alter Abigails heraufgesetzt. So gibt, wie er betont, sein Stück nicht Geschichte im akademischen Sinn des Wortes. Wesentlich aber ist ihm, daß eines der seltsamsten und furchtbarsten Kapitel der Geschichte wahrheitsgetreu wiedergegeben wird. Anders gesagt: nicht der Dichter formt, von der dramaturgischen Anordnung abgesehen, den geschichtlichen Stoff zur Tragödie, sondern die Geschichte selbst wird unter der ordnenden Hand des die Wahrheit suchenden Dichters zur Tragödie.

1. Akt (13-50)

Die Tochter Betty des Salemer Pastor Parris liegt an einer rätselhaften Krankheit darnieder. Sie ist gelähmt und zur Zeit bewußtlos. Pastor Parris betet an ihrem Bett. Als die Negersklavin Tituba, die Parris von Barbados aus seiner früheren Tätigkeit als Sklavenhändler mitgebracht hatte, ins Zimmer tritt, gerät er in maßlose Wut. Er ist völlig unfähig zu verstehen, daß echte Sorge die Negerin, die das Kind seit dem frühen Tode der Mutter betreute, herführt. Er weist sie hinaus, während seine Nichte Abigail eintritt. Sie meldet die Magd des Arztes an. Parris läßt sie hereinrufen. Sie kann nur berichten, daß der Doktor in seinen Büchern keine Medizin gegen diese Krankheit fand. Er läßt dem Pastor ausrichten, er solle nach unnatürlichen Dingen als Ursache ausschauen. Erregt erklärt Parris, daß es keine unnatürliche Ursache gebe. Um sicher zu gehen, hat er nach Pastor Hale von Beverley geschickt, der Experte für Hexerei und Zauberei ist. Er entläßt die Magd mit der Bitte an den Doktor, er möge weiter nach einer Medizin suchen und jeden Gedanken an unnatürliche Ursachen abtun. Nachdrücklich fordert er sie auf, in der Stadt nicht darüber zu sprechen. (18)

Abigail aber verwirrt den Onkel mit der Nachricht, daß das Gerücht von Hexerei durch die ganze Stadt geht und sein Empfangszimmer voll von Leuten ist, die mit ihm darüber reden wollen. Parris ist in größter Verlegenheit. Die Wahrheit muß ihm in jedem Fall schaden. Wenn man ihm Hexerei in seiner Familie und seinem Hause nachweist, ist er, der nur gegen manchen Widerstand von der Gemeinde gewählt wurde, als Pastor erledigt. Er kann der Gemeinde aber auch nicht sagen, was er weiß. Zufällig ertappte er seine Tochter und seine Nichte, als sie mit einigen Freundinnen im Walde tanzten. Sie hatten ein Feuer gemacht, an dem Tituba ihnen unverständliche Lieder aus Barbados vorsang. Was aber die Sache schlimmer macht, ist die Beobachtung, daß mindestens eines der Kinder nackt durch den Wald lief. Mag Abigail auch betonen, daß es sich um harmloses kindliches Spiel handelte, Parris ist in Gefahr. Die gestrenge Gemeinde wird nicht hinnehmen, daß er ungestraft solche zweifelhaften Vergnügungen bei den Kindern und erst recht nicht bei seiner Tochter und Nichte duldet. Sicher ist, daß Bettys Krankheit auf dem plötzlichen Schrecken beruht, den sie empfand, als der Vater während des verbotenen Spieles aus dem Gebüsch sprang, von dem aus er das Treiben der Kinder belauerte. Die Ursache der Krankheit ist also der Schock, den das Kind erlitt. Pastor Parris neigt dazu, an die Arglosigkeit des Spiels zu glauben. Aber das kann ihm nicht helfen, er darf seinen Glauben der Gemeinde nicht eingestehen. Eindringlich redet er Abigail zu, die Wahrheit zu sagen. Er traut der Nichte nicht mehr ganz. Er ist beunruhigt, weil sie von der Frau des allgemein geachteten John Proctor aus dem Dienst gejagt wurde. Noch mehr beunruhigt ihn, daß Frau Proctor sagte, sie komme seitdem nur selten zur Kirche, weil sie nicht so nahe bei Beschmutzten sitzen wolle. Trotzig erwidert Abigail, daß Frau Proctor hart und lügnerisch sei und sie hasse. Sie habe sie wie eine Sklavin gehalten, dagegen habe sie sich gewehrt. Pastor Parris ist allzu geneigt, ihr im eigenen Intersse zu glauben. Aber er zweifelt immer noch, weil keine Familie Abigail in Dienst nehmen wollte, seitdem sie wieder in seinem Hause ist. (20)

Thomas Putnam und seine Frau treten ein. Pastor Parris fürchtet Putnam, einen rücksichtslosen Menschen, der durch seinen Reichtum in der Gemeinde einflußreich ist und schon einmal vergeblich versucht hat, die Wahl seines Schwagers gegen einen Vorgänger von Parris, den er ins Gefängnis sperren ließ, durchzusetzen. Er weiß auch, daß Putnam ihn verachtet und ihm übel will. Für Putnam und erst recht für seine einfältige Frau ist die Hexerei so gut wie bewiesen. Man spürt, daß der Wunsch, daß es so sein möge, sie bereits überzeugt. Ihr eigenes Kind ist in gleicher Weise wie Betty erkrankt, es ist behext. Sieben Kinder hat Frau Putnam kurz nach der Geburt verloren, sie hat sie ungetauft in die Erde legen müssen, durch Zauber sind sie gemordet worden. Sie wollte schon zu Tituba schicken, von der man sagt, daß sie Tote beschwören kann, um über sie die Wahrheit zu finden, auf die Gefahr hin, sich selbst einer furchtbaren Sünde, nämlich des Umgangs mit Toten, schuldig zu machen. Jetzt hofft sie, daß Pastor Hale die Hexe ausfindig machen wird.

Vom schlechten Gewissen und von Angst getrieben kommt Putnams Magd, die an dem Tanz der Kinder teilnahm, unter dem Vorwand, nach der kranken Betty sehen zu wollen. Als mit einiger Mühe Parris und die Putnams aus dem Zimmer geschafft sind, mahnt Abigail die Gefährtin, nicht mehr zu sagen, als sie selbst gesagt hat. Sie lügt ihr aber auch vor, Parris habe herausgebracht, daß Tituba die verstorbenen Kinder Putnams aus dem Grabe beschworen hat. Zu den beiden kommt Mary Warren, Proctors Magd, ebenfalls von Angst getrieben. Sie ist überzeugt, daß sie die Wahrheit sagen müssen, weil sie sonst in den Verdacht der Hexerei geraten. Vielleicht kommen sie dann damit davon, daß sie wegen des Tanzes und „dem anderen" nur ausgepeitscht werden. Unterdessen ist Betty zu einem neuen Anfall erwacht. In ihrem Fieberwahn spricht sie davon, daß sie Blut getrunken haben, wohl in spielerischer Nachahmung indianischer Bräuche. Jetzt hat sie Angst, daß ihr Vater davon erfährt. Abigail schlägt sie und dringt in sie, nur das Tanzen zuzugeben. (27)

Auf der Suche nach Pastor Parris kommt John Proctor ins Zimmer. Niemand weiß, daß seine Tugend einst der Schönheit und Leidenschaft Abigails erlegen ist und sie deshalb von Frau Proctor aus dem Hause gewiesen wurde. Die beiden Mägde lassen sie allein, Betty schläft wieder. Sofort nähert sich Abigail in leidenschaftlichem Werben Proctor, stößt aber auf kalte Abweisung. Sie aber kann die gemeinsamen Erlebnisse nicht vergessen, ihre starke Sinnlichkeit ist durch ihn geweckt, sie ist ständig unruhig und erregt. Wild haßt sie Proctors Frau, die ihr im Wege steht. Sie haßt aber auch Salem und die ganze verlogene Christengemeinde. Ohne John Proctor kann sie nicht leben, sie ruft sein Erbarmen an. John Proctor aber ist von dem seltsamen Wesen der Mädchen abgestoßen. Für ihn ist Bettys Krankheit ein gestelltes Theater, und Abigail bestätigt ihm seinen Eindruck, indem sie ihm das nächtliche Tanzen und die schockierende Entdeckung durch den Onkel mitteilt. Parris aber, der eben eine kurze Andacht mit den in seinem Empfangszimmer versammelten Gemeindemitgliedern beendet hat, kommt wieder und stürzt zu Bettys Bett. (30) Abigail berichtet, daß Betty unruhig wurde, als sie von unten das Singen eines Psalms hörte. Für Frau Putnam ist das ein erneuter Beweis dafür, daß das Kind behext ist. Andere Gemeindemitglieder kommen hinzu. Es wird ersichtlich, welche Unruhe und Angst in der Gemeinde herrscht, wieviele kleinliche Streitigkeiten jeden gegen jeden und nahezu alle gegen Pastor Parris aufgebracht haben. Aus Proctors eigentlich begütigend gemeinten

Einwänden wird aber auch deutlich, daß viele genug davon haben, nur von Höllenfeuer und Verdammnis predigen zu hören. Ebenso deutlich wird auch die Habgier einiger Gemeindemitglieder, die dem Pastor zum eigenen Vorteil gern sein gesichertes Recht verkürzen möchten. Neid und Mißgunst werden laut, dazu wird auch die verbreitete Prozeßsucht sichtbar.

In die streitende Gemeinde kommt Pastor Hale. (36) Er hat ein Dutzend schwerer Bücher mitgebracht und fühlt sich stark zum Kampf mit dem Herrn der Finsternis. Frau Putnam will ihn gleich mit ihren abergläubischen Ängsten überfallen. Parris aber führt den Amtsbruder zu seiner Tochter und erzählt ihm von seiner Beobachtung im Walde. Die alte Rebecca Nurse läßt allzu deutlich durchblicken, daß ihr der Kampf gegen den Teufel ein direkter Weg zum Teufel zu werden scheint. Das weckt Groll. Der greise Giles Corey in seiner Altersgeschwätzigkeit verrät in Angst und Wichtigtuerei, daß seine Frau Bücher liest. Die Verwirrung treibt ihn sogar dazu, zu gestehen, daß er seine Frau über den Büchern fand und nicht mehr beten konnte. Er vermochte sich erst wieder zum Gebet zu sammeln, als sie das Buch schloß. Niemand beachtet, daß Giles Corey erst beten lernte, als er schon ziemlich alt war, und daß er einen sehr schwachen Kopf hat, so daß es nur wenig bedarf, um ihn abzulenken. Für Pastor Hale ist die Sache eine Untersuchung wert.

Erst wendet sich Hale Betty zu. Nach einer formellen Teufelsbeschwörung beginnt er, Abigail auszufragen. Parris in seiner steigenden Panik glaubt in dem Kessel, der über dem Feuer der spielenden Mädchen hing, einen lebenden Frosch gesehen zu haben. Voller Angst gesteht Abigail stockend, daß nicht sie, aber Tituba nach dem Teufel rief. Das muß gelogen sein, weil Tituba in ihrer Negersprache sang, die keines der Mädchen verstand. Statt die offensichtliche Lüge zu durchschauen, läßt Hale Tituba holen. Seine strengen Fragen können Abigail zwar nicht veranlassen, zu sagen, daß sie den Teufel sah oder sich am Zauber beteiligte. Um sich selbst zu retten, deutet sie aber an, daß Tituba sie dazu veranlassen wollte. Tituba ist erschrocken und unwillig über diese unsinnige Beschuldigung. Aber Abigail klagt sie weiter an, sie zum Lachen veranlaßt zu haben, wenn sie beten wollten. Sie phantasiert weiter, daß sie manchmal nachts aufwacht und sich nackt in der offenen Tür findet. Dann hört sie Tituba ihre Barbados-Lieder singen. Hale ist daraufhin ebenfalls überzeugt, daß Tituba hexen kann. Streng fordert er von ihr, daß sie die kranke Betty vom Zauber löst. Was er noch durch Zureden erreichen möchte, will der erregte Parris durch

Drohungen mit Auspeitschen und Henken erzwingen. (46) In Todesangst beginnt Tituba, andere zu beschuldigen, während sie sich auf den Knien zu Gott bekennt. Hale verlangt von ihr Namen und sie nennt Namen, zu denen sie halbe Eingeständnisse macht. In völliger Verwirrung bekennt sie aber auch, daß ihr der Teufel erschien und befahl, Pastor Parris zu töten, was sie aber zurückwies, worauf der Teufel ihr andere zeigte, die ihr zu Willen seien. Pastor Hale triumphiert, er ist dem Bösen auf seine Schliche gekommen. Darüber gerät Abigail in Verzückung und beginnt, andere Frauen aus Salem „auszuschreien". Die aus der Ohnmacht erwachende, fiebernde Betty stimmt ein. Immer größer wird die Zahl der von den Mädchen Beschuldigten. Man ruft nach dem Büttel. Er soll sie alle festnehmen und ins Gefängnis schaffen. (49)

2. Akt (52-75)

Acht Tage später im Hause John Proctors: Elisabeth Proctor hat die Kinder zu Bett gebracht und erwartet ihren Mann, der von der Feldarbeit kommt. Ihr Verhältnis ist getrübt, obwohl sie sich alle Mühe gibt, ihm eine gute Hausfrau zu sein und auf seine Wünsche einzugehen. Der Schatten von Abigails und Proctors Verfehlung mit ihr steht zwischen ihnen. Als John Proctor kommt und sich nach der Magd Mary Warren erkundigt, teilt sie ihm mit, daß Mary in Salem ist. Proctor hat ihr verboten, wieder dorthin zu gehen. Elisabeth aber klärt ihn auf, daß die Magd, die einst schüchtern und dienstwillig war, aufsässig und stolz geworden ist. Sie ist vom Gericht vorgeladen, zu dem vier Richter aus Boston entsandt worden sind. Vierzehn Frauen sind im Gefängnis und müssen mit ihrer Verurteilung zum Galgen rechnen. Wenn sie nicht gestehen, droht ihnen der Tod, nur das Geständnis, mit dem Teufel paktiert zu haben, kann sie retten. Die Stadt ist wild geworden.

Für Proctor ist das finsterer Unfug. Elisabeth aber fordert von ihm, daß er nach Salem geht und den Trug aufklärt. Im Hause ihres Onkels hat Abigail ihm gesagt, daß alles mit Hexerei nichts zu schaffen hat. Proctor aber wird über Elisabeths Forderung nachdenklich. Wenn er auch die Wahrheit weiß, es wird nicht leicht für ihn sein, bei all der Torheit in der Stadt Abigail als Betrügerin zu entlarven. Als Elisabeth auf seine Bedenken kühl und ungläubig reagiert, glaubt Proctor immer noch, ihre Eifersucht auf Abigail zu spüren. Immer zweifelt sie an ihm, der ihr offen seine Verfehlung berichtete.

Ein Geräusch von draußen lenkt ihn ab. Die Magd Mary Warren kommt heim. Wütend droht er ihr eine harte Strafe an, wenn sie noch einmal ohne seine Erlaubnis das Haus verläßt. Aber das ungewohnt seltsame Verhalten der Magd und die offensichtlichen Anzeichen ihrer tiefen Erschöpfung machen ihn zurückhaltend. Mary schenkt Elisabeth eine Stoffpuppe, die sie während ihrer langen Wartezeiten zwischen den Verhandlungen angefertigt hat. Stückweise berichtet sie aus Salem. Neununddreißig Frauen sind im Gefängnis. Der Unterstatthalter hat die ersten Todesurteile gefällt. Sarah Good hat gestanden, daß sie einen Pakt mit Luzifer schloß. Proctor wendet ein, daß sie als trunksüchtige Schwätzerin bekannt sei. Mary Warren aber ist völlig der Hysterie verfallen. Sie ist überzeugt davon, daß Sarah Good ihren Geist aussandte und sie grausam quälte. Sie leidet körperlich unter ihren Wahnvorstellungen. Sie selbst hat Sarah vor Gericht beschuldigt. Sie ist sicher, ein wichtiges und heiliges Werk zu tun, sie will deshalb jeden Tag zum Gericht nach Salem gehen. Proctor ist verärgert über ihren Ungehorsam gegen seine ausdrückliche Anordnung. Als er zur Peitsche greift, mischt sich Elisabeth begütigend ein und bittet Mary, künftig daheim zu bleiben. (58) Mary aber schreit, sie müsse helfen, herauszufinden, wo sich der Teufel in Salem verberge. Sie bringt Proctor zum Erstarren, als sie erklärt, sie habe Elisabeth das Leben gerettet, denn auch ihr Name wurde vor Gericht genannt. (59)

Elisabeth aber hat begriffen, was sich gegen sie zusammenzieht. Abigail will sie vernichten. Um ihren Mann zu gewinnen, wagt sie den gefährlichen Einsatz, sie zu beschuldigen. Was sonst für sie unerreichbar ist, scheint jetzt unter dem Schein frommen Rechtes erreichbar. Die Verwirrung, in die der Wahn alle gestürzt hat, ist ihre Gelegenheit. Sie wagt, die Frau eines Bauern wie Proctor anzuschuldigen in der Hoffnung, sie zu vernichten und in allen Ehren an ihre Stelle treten zu können. Darum bittet Elisabeth ihren Mann, zu Abigail zu gehen, mit ihr zu sprechen, sie zur Einsicht zu bringen. Wenn sie sich aber verschließt, soll er sie ohne Rücksicht auf Versprechen, die er ihr gemacht hat, als Dirne und Betrügerin entlarven. (60)

Plötzlich erscheint Pastor Hale im Raum. Er ist verändert. Seine einstige Sicherheit ist gewichen, er wirkt wie schuldbewußt. Der Wille, die Wahrheit zu ergründen, treibt ihn in der Nacht noch zu den neu Angeschuldigten. Nur stockend kommt das Gespräch in Gang. Die Methoden des Gerichtes haben ihn unsicher gemacht. Umständlich erkundigt er sich nach dem christlichen Charakter des Hauses. Er findet nichts Bedenkliches. Auch daß Proctor Ärgernis daran nimmt, daß Pastor Parris goldene Leuchter und einigen Prunk in der Kirche einführte, ist seinem puritanischen Denken verständlich. Er bringt Verständnis auf für Proctors Abneigung gegen Parris, aber es bleibt eine Lauheit in dem Bericht über Proctor, die er nicht ganz widerlegen kann. Zögernd wird Hale, als Proctor beim Abhören der zehn Gebote versagt. Er vergißt das sechste Gebot. Mit pastoralem Trost will sich Hale verabschieden, als Elisabeth ihren Mann auffordert, Pastor Hale zu sagen, was er weiß. Entschlossen erklärt Proctor nun, daß Abigail ihm sagte, wie die Erkrankung der Kinder durch den Schock, den sie bei der unerwarteten Entdeckung ihres verbotenen Tanzes erlitten hatten, verursacht wurde, und daß alles mit Hexerei nichts zu tun habe. Als Hale ihm vorhält, daß Tituba und andere gestanden haben, antwortete er, daß sie aufs Leugnen hin gehenkt würden, und daß es viele gebe, die alles beschwören, ehe sie sich henken lassen. Auch Pastor Hale hat den gleichen Gedanken schon gehabt. Es fällt ihm indessen schwer, sich von dem ihm etwas wie lieb gewordenen Gedanken an Hexerei freizumachen. Elisabeth erklärt, daß sie nicht an Hexen glaube, während Proctor ausweichend antwortet. (66) Hale, der immer unsicherer geworden ist, ermahnt sie, in Zukunft die Regeln der Gemeinde zu achten, ihr drittes Kind, das Proctor wegen seiner Abneigung gegen Pastor Parris bisher nicht taufen ließ, ordnungsgemäß taufen zu lassen und keine Gottesdienste mehr zu versäumen. Dann will er gehen.

In der Tür erscheint Giles Corey, gefolgt von Francis Nurse. Beide Frauen sind ins Gefängnis gebracht worden. Betroffen ruft Hale sie auf, der Gerechtigkeit des Gerichtes zu vertrauen. (68) Aber er bleibt dabei, daß ein dunkler Anschlag des Teufels in diesen neuen Zeiten gegen Salem im Werke ist. Es gibt kein Ausweichen vor dem Gericht. Betroffen hört er dann aber, daß Giles Coreys Frau auf Grund der Beschuldigung verhaftet wurde, sie habe die Schweine eines wegen seiner schlechten Wirtschaft berüchtigten Nachbarn verhext, so daß sie nicht mehr gediehen und vorzeitig eingingen.

Cheever, dem Proctor bisher Vertrauen entgegenbrachte, kommt und stellt sich als neuer Gerichtsschreiber vor. Ihm folgt der Büttel. Sechzehn Verhaftsbefehle muß er noch an diesem Abend ausführen. Einer lautet auf Elisabeth Proctor. Außerdem soll er das Haus nach einer Puppe durchsuchen. Elisabeth bringt die Puppe herbei, die ihr Mary schenkte. Cheever zieht mit allen Anzeichen des Erschreckens eine lange Nadel daraus hervor. Das ist der Beweis gegen Elisabeth. Abigail fiel am Abend plötzlich schreiend zu Boden. Pastor Parris eilte ihr zu Hilfe und zog aus ihrem Leib eine Nadel, die zwei Zoll tief hineingestoßen war. Abigail sagte, daß ihr der Geist Elisabeths erschien und ihr die Nadel in den Leib stieß. Cheever sieht in der Nadel, die er aus der Puppe hervorholt, einen Beweis dafür, daß hier ein Zauber, in der Terminologie der Hexenkunde ein Sympathiezauber vorliegt. Elisabeth holt Mary Warren herbei, die wahrheitsgemäß erklärt, daß sie die Puppe anfertigte, wobei ihr Abigail und andere Mädchen zuschauten. Abigail saß ihr am nächsten. (71)

Elisabeth wird schlagartig der Sachverhalt klar. Abigail stieß, wie sie annimmt, die Nadel unbemerkt in die Puppe und später sich selbst die andere Nadel in den Leib in der sicheren Erwartung, daß der Hexen- und Zauberglaube des Gerichtes darin einen Beweis erkennen werde, um Elisabeth zu verurteilen. Auch Proctor hat die Zusammenhänge durchschaut. Er zerreißt wütend den Verhaftungsbefehl. In Salem ist alles, wie es war. Aber überspannte Mädchen bestimmen kreischend die Tonart, und gemeine Rache schreibt das Gesetz vor. Er will mit Gewalt verhindern, daß seine Frau fortgeführt wird. Aber Elisabeth hat ihren Entschluß gefaßt. In mühsam errungener Ruhe gibt sie Mary Anweisungen für den folgenden Tag. Den Kindern soll Proctor nicht sagen, was geschehen ist, damit sie sich nicht ängstigen. Dann folgt sie dem Büttel.

Hale aber forscht vor sich selbst. Eine angemessene Ursache muß die ungeheuerlichen Ereignisse herausgefordert haben, eine geheime Lästerung, die noch nicht ans Licht gebracht ist und im Untergrund heimlich fortwirkt. Er ruft die Männer auf, unter sich Rat zu halten, was diesen Zorn des Himmels auf Salem herabgerufen hat. Er verläßt sie. Unter Klagen, daß sie alle verloren sind, gehen auch die anderen. (73)

Proctor ist durch die Worte Hales im Innersten getroffen. Er kennt die geheime Sünde, die noch nicht ans Licht gebracht ist und die Salem in das Unheil stürzte. Als er mit Mary allein ist, erfährt er, daß sie trotz ihrer Einfalt alles durchschaut. Abigail hat ihr von dem Ehebruch mit ihm erzählt und von ihrem festen Entschluß, ihn zu gewinnen. Aber Mary fürchtet sich vor Abigail, die ihr wegen ihrer unvorstellbaren Leidenschaft unheimlich ist. Sie fürchtet um ihr Leben, wenn sie die Wahrheit sagt, denn sie weiß, daß Abigail nun, da sie die Macht hat, vor nichts mehr zurückschrecken wird.

Proctor ist entschlossen, sich jetzt zu seiner Verfehlung zu bekennen. Aber seine frühere Selbstsicherheit hat er verloren, er sieht sich vor einem Abgrund, der alle verschlingen kann.

3. Akt (77-105)

Der dritte Akt beginnt in der Sakristei des Bethauses von Salem, die jetzt als Vorraum des Gerichtes dient. Der Raum ist noch leer. Durch die Wand hört man Stimmen der Verhandlung gegen Martha Corey. Als der Staatsanwalt Hathorne sie fragt, warum sie die Kinder Putnams geplagt habe und sie bestreitet, sich jemals dessen schuldig gemacht zu haben, verliert ihr Mann die Nerven und schreit in den Gerichtssaal, Putnam verbreite Lügen über seine Frau, weil er nach seinem Land giere. Er wird aus dem Saal gewiesen und in den Vorraum gebracht. Hathorne folgt ihm bald, von Parris und Cheever begleitet. Corey haßt Hathorne, dem er vorwirft, seiner Karriere die Wahrheit zu opfern. Der Unterstatthalter Danforth aber beeindruckt ihn, und dieser ist wiederum von dem alten Mann beeindruckt. Auf seine ruhigen Fragen gibt Corey ruhig Antwort. Er selbst fühlt sich schuldig, weil er in aller Harmlosigkeit gesagt hat, seine Frau lese Bücher. Nie aber hat er von Hexerei gesprochen. Er weint, weil er sich gegen die Liebe versündigt hat. Pastor Hale mischt sich ein und bittet Danforth, die Beweise des Mannes anzuhören. Der Richter verweist ihn auf die ordentliche Verhandlungsführung und läßt Corey aus dem Raum entfernen. Aber Francis Nurse kommt, um mit dem Richter zu sprechen. Seine Frau ist am Vormittag zum Strang verurteilt worden, weil sie nicht gestehen wollte. Nurse erklärt, daß die Aussagen der Mädchen Lug und Trug sind. Der Richter ist betroffen, aber der Ernst des alten Nurse, der als gerecht und ehrenwert von allen gerühmt wird, veranlaßt ihn, sich weiter mit ihm zu befassen. Vierhundert sind durch ihn eingekerkert, zweiundsiebzig unter seiner Verantwortung zum Strang verurteilt. Der Vorwurf, der aus Nurses Behauptung klingt, ist ungeheuerlich. Aber Nurse bleibt dabei. (80)

Giles Corey kommt zurück. Er bringt Proctor und Mary. Parris ist betroffen, als er Mary sieht. Aber Proctor hindert ihn daran, mit ihr zu sprechen. Entrüstet wendet sich Richter Danforth an den Büttel, der ihm sagte, Mary liege krank zu Hause. Giles Corey erklärt dazu, daß sie eine ganze Woche lang mit ihrer Seele rang, bis sie sich aufraffte, endlich die Wahrheit zu sagen. Erregt fällt Hale ein, man müsse das Mädchen anhören. Danforth weist ihn zur Ruhe und wendet sich Mary zu. Sie vermag in ihrer Aufregung kein Wort hervorzubringen, bestätigt aber jedes Wort, als Proctor sagt, daß sie niemals Geister sah. Bestürzt wendet Parris, der die Gefahr für sich selbst erneut aufsteigen sieht, ein, es gehe darum, das Gericht zu stürzen. Danforth aber bleibt ruhig und erinnert Proctor daran, daß die gesamte Beweisführung dieses Prozesses auf dem Glauben beruhe, die Stimme des Himmels spreche aus diesen Kindern. Dann fragt er Mary, wie sie dazu kam, Menschen auszuschreien, sie sendeten ihren Geist über sie. Mary beharrt darauf, daß es Vortäuschung war. Danforth teilt nun Proctor mit, daß Elisabeth ihm ein Gesuch sandte, worin sie angibt, schwanger zu sein. Die Untersuchung gab noch keine Anzeichen dafür, aber er ist bereit, für einen weiteren Monat Frist zu geben. Wenn dann die natürlichen Anzeichen sichtbar werden, ist sie auf ein Jahr frei. Offen befragt Danforth Proctor, ob er, falls er nun sein Weib retten wollte, unter diesen Umständen seine Beschuldigung fallen zu lassen bereit sei. Proctor kämpft mit sich selbst, erklärt dann aber, daß er es nicht könne. (84) Erregt wendet Parris erneut ein, daß es Proctor und den anderen darum gehen, das Gericht zu stürzen. Danforth aber ist entschlossen. Es ist ihm zwar unerträglich, daß er Opfer einer solchen Täuschung geworden sein soll, aber sein Pflichtbewußtsein regt sich. Er läßt die anderen Richter bitten, die Verhandlung auszusetzen. Alle Gefangenen und Zeugen sollen im Hause behalten werden.

Nun wendet er sich Proctor zu. Dieser übergibt ihm ein Schriftstück, in dem einundneunzig angesehene Mitbürger ihre gute Meinung über Rebecca Nurse, Martha Corey und Elisabeth Proctor bescheinigen. Parris versucht, es mit Spott abzutun. Hale, der sich kaum noch beherrschen kann, bringt vor, daß doch nicht jede Verteidigung als Angriff auf das Gericht gewertet werden kann. Danforth entscheidet, daß Hale grundsätzlich recht hat, ordnet aber die Verhaftung aller, die das Schriftstück unterzeichnet haben, zum Verhör an. Dann wendet er sich wieder an Proctor. Die vorübergehende Regung von rechtlicher Ehrlichkeit an ihm ist wieder erstickt, es geht ihm jetzt nur noch um die eigene und amtliche Autorität. Er erklärt Corey für verhaftet. Als Proctor eingreift, warnt Corey ihn, der Gerechtigkeit zu vertrauen. (88)

Proctor holt Marys Zeugnis hervor, daß sie niemals Geister sah, daß sie unter dem Einfluß der anderen Mädchen, die sie zudem bedrohten, in den gleichen Wahn verfiel, der sich dann so verhängnisvoll auswirkte. Hale tritt zu Danforth und fordert ihn auf, den Bauern nicht allein die Verteidigung ihrer Sache zu überlassen und einen Rechtsgelehrten zuzuziehen. Er zweifelt an der Berechtigung der gefällten Urteile. Danforth aber belehrt ihn, daß nach der gültigen Rechtspraxis nur die Hexe und ihre Opfer schlüssige Beweise liefern können. Nur auf ihr Zeugnis kann sich das Gericht stützen. Auch ein Rechtsgelehrter kann daran nichts ändern. Damit beginnt er, Mary zu verhören, die die Wahrheit sagt, auch als sie darauf hingewiesen wird, daß sie für ihr falsches Zeugnis bestraft werden kann. (91)

Da öffnet sich die Tür, Abigail und einige Mädchen werden hereingeführt. Cheever berichtet, daß die meisten nicht anwesend sind. Danforth aber entscheidet, daß die Anwesenden genügen. Proctor beschuldigt Abigail, seine Frau umbringen zu wollen, ringt sich aber immer noch nicht zur vollen Wahrheit durch. Er fordert Mary auf, von dem Tanzen zu erzählen. Als sie sich scheut, gibt Proctor ihre Geschichte Parris, der sich selbst immer mehr gefährdet sieht, versucht in Ausreden auszuweichen. Entschieden aber bestätigt Hale, daß Parris ihm gleich nach seiner Ankunft das erzählte, was Proctor jetzt berichtet. Mary sagt weiter aus, daß ihre Ohnmachten vorgetäuscht waren. Parris verlangt von ihr, daß sie auf der Stelle ohnmächtig wird. Mary aber kann es nicht. Als er sie weiter bearbeitet, erklärt sie, daß sie ohnmächtig wurde, weil sie glaubte, sie sähe Geister. Sie bestätigt aber, daß sie keine sah. Danforth wendet sich daraufhin wieder an Abigail. In die Enge getrieben weiß Abigail keinen anderen Ausweg mehr, als wieder die Besessene zu spielen. Die Angst treibt die anderen Mädchen dazu, ihrem Beispiel zu folgen, auch Mary verfällt in hysterisches Schreien. Da ringt sich Proctor dazu durch, seinen Ehebruch mit Abigail zu gestehen. Sie ließ sich aber nicht einfach fortschicken, sie sinnt auf den Tod seiner Frau, um deren Stelle einzunehmen. Er gab Abigail das Versprechen, nicht darüber zu sprechen. Aber jetzt muß er sagen, daß sie eine Hure ist. (97) In blassem Entsetzen blickt Danforth, dem die Wahrheit bedrohlich dämmert, auf Abigail, die trotzig erwidert, daß sie fortgehen werde, wenn sie auf diese Beschimpfungen antworten müsse. Danforth läßt Elisabeth holen und befiehlt ihr streng, ihr kein Wort von dem zu sagen, was bisher gesprochen wurde. Um ihren Mann zu schonen, sagt Elisabeth aus, daß sie krank war und glaubte, ihr Mann habe zu viel Gefallen an Abigail gefunden, und daß sie sie deshalb wegschickte. Sie verneint aber die direkte Frage, ob ihr Mann ein Ehebrecher sei. Zu spät erfährt sie, daß er eingestanden hat. Proctor wendet ein, daß sie nur seinen Namen schonen wollte. Sehr ernst erklärt Hale, daß diese Lüge verständlich sei, daß Proctor als durchaus glaubwürdig angesehen werden müsse. Für Danforth aber, der nicht ertragen kann, sich geirrt zu haben oder gar einem bewußten Schwindel erlegen zu sein, ist Proctor ein Lügner. Abigail aber spürt, daß ihr von Hale Gefahr droht. Darum entschließt sie sich, um alle abzulenken, wieder eine Vision zu spielen. Sie stellt vor, einen geheimnisvollen Vogel zu sehen, der nach ihrem Gesicht hacken will. Angstvoll folgen die anderen Mädchen ihrem Beispiel. Nur Mary wird wütend, stampft mit den Füßen und ruft ihnen zu, mit dem Spiel aufzuhören. Aber sie kann nicht verhindern, daß die anderen der Verwirrung verfallen, die Abigail ihnen suggeriert. Nun ist Danforth, der um jeden Prei einen für sich förderlichen Ausweg sucht, angeblich klar, daß Marys Geist die anderen Mädchen anfällt, die Abigail flehend um Schonung bittet. Verzweifelt wehrt sich Mary, sie habe keine Macht über die Mädchen und nie den Teufel gesehen. Aber sie verfällt immer mehr der Angst und dem Einfluß Abigails. Alles vernünftige Zureden geht an ihr vorüber, bis sie schließlich völlig der allgemeinen Hysterie der Mädchen verfällt. Sie nennt Proctor einen Mann des Teufels, mit dem sie nicht gehenkt werden will. (104) Er habe sie Tag und Nacht geplagt, einen Teufelspakt zu unterschreiben, und ihr gedroht, sie zu töten, wenn sein Weib gehenkt wird. Mit Proctor erkennt auch Hale sofort den Wahnsinn. Für Danforth aber ist alles wieder im rechten Geleise; Proctor ist der Mann, der mit dem Teufel im Bunde steht. Danforth läßt ihn und Corey in den Kerker schaffen. Pastor Hale aber sagt sich in heiligem Eifer von diesem Gericht los. Er will es höheren Ortes anzeigen.

4. Akt (107-126)

Einige Tage später im Gefängnis: In einer Zelle liegen Sarah Good und Tituba. Beide haben über Gefangenschaft und Leiden den Verstand verloren. Der betrunkene Büttel kommt herein und gibt Sarah einen tüchtigen Schluck aus seiner Flasche. Dann befördert er die beiden schwachsinnigen alten Weiber, die sinnlos phantasieren, in eine andere Zelle. Diese hier wird gebraucht. Danforth und Harthorne treten ein. Cheever mit einer Dokumentenkapsel und Schreibzeug folgt ihnen. Sie warten auf Parris. Mit Mißtrauen erfüllt sie die Nachricht, daß Pastor Hale mit der Genehmigung des Pastors Parris seit Mitternacht bei den verurteilten Gefangenen umhergeht, um mit ihnen zu beten. Die Richter fühlen sich unsicher gegenüber seinen Absichten. Auch Pastor Parris macht ihnen

Sorge. Er wirkt schwächlich und unsicher. Der betrunkene Büttel meint, die vielen herrenlosen Kühe, die in der Stadt umherirrten, verwirrten ihn. Als Pastor soll er sie verteilen, aber darüber gibt es endlosen Streit. (109)

Parris kommt mit der Nachricht, daß es Pastor Hale wahrscheinlich gelungen ist, Rebecca Nurse zum Geständnis zu bewegen. Nun sitzt er bei anderen und versucht, sie ebenfalls dazu zu überreden, durch ein Geständnis ihr Leben zu retten. Aber ihn quält etwas anderes. Seine Nichte Abigail ist seit drei Tagen spurlos verschwunden. Er glaubt, daß das Gericht nicht achtlos an der Flucht der Hauptzeugin vorrübergehen kann. Mit ihr ist auch eine Freundin geflohen. Parris nimmt an, daß sie auf einem Schiff sind. Zögernd berichtet er, daß sie seine Geldkassetten erbrochen und sein ganzes Geld gestohlen haben. Er ist gewiß, daß sie aus Furcht davongelaufen sind. Die Vorgänge in der Stadt und die Gerüchte, daß in Andover das Gericht verjagt worden sei, ließen es ihnen ratsam erscheinen, ihrer Sicherheit wegen zu verschwinden. Die Urteile, die jetzt vollstreckt werden sollen, richten sich gegen die angesehensten Mitglieder der Gemeinde. Parris befürchtet Aufruhr und Rache. Er fordert einen Aufschub der Hinrichtungen. Die Richter lehnen ab. Da bleibt für Parris nur die Hoffnung, daß es Pastor Hale gelingt, die Verurteilten, wenigstens einen von ihnen, zum Geständnis zu veranlassen. Wenn sie ohne Geständnis sterben, wird der Zweifel vervielfacht, die Trauer um die Toten wird in Wut umschlagen. Danforth fordert nach kurzer Überlegung die Liste der Verurteilten. Er selbst will sich bemühen, sie zum Geständnis zu bewegen. Parris berichtet weiter, daß sich die Gemeinde ihm verweigerte, als er sie zusammenrief, um John Proctor auszustoßen. Nur wenige stellten sich ein. Er selbst aber traut sich bei Nacht nicht mehr aus dem Hause. In seiner Haustür fand er einen Dolch. Hale kommt blaß und erschöpft dazu. Es ist ihm nicht gelungen, eine der Verurteilten zum Geständnis zu bringen. Ihnen ist die Wahrheit lieber als ihr Leben. Er bittet um mehr Zeit für das Werk der Gnade. (113)

Danforth aber erklärt entschieden, daß es keinen Aufschub gibt. Zwölf sind bereits gehenkt worden. Frist oder gar Gnade für die jetzt Verurteilten müßte die Schuld derer in Zweifel stellen, die bis dahin starben. Noch einmal aber möchte er es bei Proctor versuchen. Seine Frau soll mit ihm sprechen. Hale bittet in wachsender Erregung Danforth noch einmal um Aufschub, der nur als christliche Milde gedeutet werden könne. Als Danforth ablehnt, wirft er ihm vor, Aufstand anzustiften und schildert die trostlosen Zustände, die in der Stadt herrschen. Es ist ein Wunder, daß die Menschen noch geduldig bleiben.

Elisabeth wird hereingeführt. Danforth, der sich selber unsicher fühlt, bittet Pastor Hale, mit ihr zu sprechen. Dieser erklärt ihr, daß ihr Mann zur Hinrichtung bestimmt ist. Er beteuert ihr, daß er nicht zum Gericht gehört. Aber wenn Proctor stirbt, erachtet er sich für seinen Mörder. Aber jetzt darf Elisabeth nicht mehr ihre Pflicht verkennen, wie er die seine verkannte. Zornig verweist ihn Danforth, von Lüge zu sprechen, aber Hale beharrt darauf. Dann redet er Elisabeth zu, nicht an einem Glauben zu verhaften, der Blut fordert. Nichts kann das Opfer des Lebens, des größten Geschenkes Gottes, rechtfertigen. Es mag wohl sein, daß Gott einen Lügner weniger verdammt als jenen, der aus Stolz sein Leben wegwirft. Elisabeth ist verwirrt, sie glaubt, daß die Stimme des Teufels zu ihr spricht. Verzweifelt beschwört Hale sie. (115) Ungeduldig tritt Danforth zu Elisabeth. Ihre Weigerung, um die Seele ihres Mannes zu kämpfen, muß als Beweis dafür erscheinen, daß sie dem Bösen verfallen ist. Er will sie wegschaffen lassen. Da erklärt sie sich bereit, mit ihrem Mann zu reden. Parris faßt wieder Hoffnung.

Proctor wird hereingeführt, und Hale bittet die Richter, die beiden allein zu lassen. Sie folgen seinem Vorschlag. Schweigend stehen sich Elisabeth und ihr Mann gegenüber, bis er endlich wagt, sie zu berühren. (117) Ermattet sitzen sie dann nebeneinander. Er erkundigt sich nach den Kindern, die wohl behütet bei Nachbarn sind. Auf ihre Frage antwortet er kurz, daß er gefoltert wurde. Sie erzählt ihm, daß viele gestanden haben. Giles Corey ist tot. Aber er wurde nicht gehenkt. Er sagte weder ja noch nein. Hätte er geleugnet, so wäre sein Besitz öffentlich ausgeboten worden. So schwieg er und starb auf der Folter. Sein Hof kommt auf seine Söhne, weil er nicht rechtens verurteilt werden konnte. Ohne sie anzusehen, gesteht Proctor, daß er daran gedacht hat, zu gestehen. Sie erkärt ihm, daß sie ihn nicht richten will, er solle tun, was er will. Sie aber will, daß er lebt. Proctor versichert ihr, daß er nicht wie ein Heiliger sterben kann. Seine Ehrlichkeit ist dahin, auch durch die Lüge kann nichts verdorben werden, was nicht schon verdorben ist. Aus Trotz schwieg er. Jetzt aber verlangt er ihre Vergebung. Elisabeth versichert ihm, daß ihm ihre Vergebung nicht hilft, weil sie sich selbst an ihm schuldig gemacht habe. Er muß sich selbst vergeben. Es geht um seine Seele. Was er auch tut, sie weiß, daß es ein guter Mensch tut.

Hathorne kommt fragend zurück. Mit äußerster Mühe erklärt ihm Proctor, daß er bereit ist zu gestehen. Erleichtert ist auch Danforth, der Proctor den Segen des Himmels für seine Einsicht verspricht. In Eile soll das Geständnis zu Protokoll genommen werden. Proctor bejaht alle Fragen des Richters. Er gerät in Verwirrung, als Rebecca Nurse, auf den Büttel gestützt, hereinwankt. Sie ist bereit, für die Wahrheit zu sterben. Aber immer noch setzt er das Geständnis fort. Die Fragen, ob er Rebecca oder andere mit dem Teufel gesehen habe, verneint er indessen. Hale drängt den Richter, es mit Proctors Geständnis genug sein zu lassen. Auch Parris wirkt in derselben Weise auf den Richter ein. Der Name Proctors allein sei in der Stadt schon gewichtig genug, um die allgemeine Unruhe und Unzufriedenheit zum Schweigen zu bringen. Noch unzufrieden, aber sich dem Druck der Stunde beugend, läßt Danforth Proctor das Protokoll unterschreiben. (123) Als er aber nach dem Blatt greift, reißt Proctor es mit allen Zeichen wilden Schreckens und grenzenloser Wut an sich. Er hat es unterschrieben, der Richter hat es gesehen, seine Seele ist gerettet. Aber sein Geständnis muß nicht an der Kirchentür angenagelt werden für die ganze Gemeinde. Er kann sich nicht als Beweis gegen seine Freunde benutzen lassen. Nie wird er seine Kinder lehren können, aufrecht auf Erden zu wandeln, wenn er seine Freunde verriet. Der Richter mag berichten, was er gesehen und gehört hat, aber sein Name darf nicht entehrt werden. Als Danforth ihn mahnt, das ehrliche Geständnis in seine Hand zu legen, zerreißt Proctor das Blatt. Er tröstet Elisabeth und fordert von ihr, keine Tränen zu zeigen. Wütend läßt Danforth ihn und Rebecca, die Proctor segnet, hinausführen. Parris in Todesangst und Hale in verzweifelter Reue reden auf Elisabeth ein, ihren Mann zu retten. Aber Elisabeth antwortet trotz aller Angst und seelischer Not: "He have his goodness now. God forbid I take it from him." (126)

Von draußen verkündet Trommelwirbel das mörderische Geschehen, während Hale in trostlosem Gebet weint und die aufgehende Sonne Elisabeths Gesicht aufleuchten läßt.

Abschluß (127)

("Echoes down the corridor")

In einer letzten Bühnenanweisung, einem Kommentar, der bei Aufführungen oft über den Lautsprecher bei offener Bühne mitgegeben wird, berichtet Miller über die folgende Entwicklung. Mit Proctors Ende ging auch der Wahn zu Ende. Es dauerte aber noch zwanzig Jahre, bis die Regierung den Angehörigen der Opfer eine Entschädigung zusprach. 1712 erklärte die Gemeinde die Ausstoßung der Hingerichteten für ungültig. Das Richterkollegium legte eine feierliche Erklärung nieder, in der die Bitte um Verzeihung für alle durch Verschulden der Richter verursachten Leiden erbeten wurde. Amtlich war der Wahn abgetan, die Macht der Theokratie war praktisch gebrochen. Aber es dauerte noch lange, bis die allgemeine Einsicht herrschend wurde. Miller weist darauf hin, daß einige sich immer noch sträubten, ihre Schuld zuzugeben, daß Parteigeist und Egoismus immer noch lebendig blieben. Menschen neigen immer wieder zu den gleichen Fehlern, und es fällt ihnen schwer, die einfache Wahrheit zu sehen und anzuerkennen.[23]

---

23) "...some people still were unwilling to admit their total guilt, and also that factionalism was still alive, for some beneficiaries were actually not victims at all, but informers..."
   - A. Miller, The Crucible, S. 127

4. Aspekte zur Diskussion

4.1 Sozial- und Zeitkritik in „Der Tod des Handlungsreisenden"

Millers *"Der Tod des Handlungsreisenden"* ist das Stück vom Versagen eines gutherzigen Menschen, der sich in der Wirklichkeit nicht zurechtfindet. Willy Loman sind seine Träume, seine der Lebenswirklichkeit nicht entsprechenden Wünsche wichtiger als der Alltag, in dem er dennoch seine Kräfte aufreibt, bis er mit etwa 60 Jahren verbraucht und im Sinne seiner Umwelt kein nützliches Glied der menschlichen Gesellschaft mehr ist.

Willys Unzulänglichkeit aber begründet sich darin, daß er sich selbst nicht kennt, sich ein falsches Bild von sich selbst macht. Sein Temperament, sein Einfallsreichtum und seine sprudelnde Laune führen dazu, daß er beliebt ist, daß seine fachliche Unzulänglichkeit oft übersehen wird und er manche Hilfe findet bei Leuten, die ihn als unterhaltsam schätzen. Der Umgang mit ihm ist für viele amüsant und anregend, es gibt viel zu lachen. Nirgendwo wird er allerdings auch nur erwähnt, daß außer den Beziehungen zwischen ihm und seinen Angehörigen, die von der Liebe bestimmt sind, irgendeine menschliche Bindung fest und dauernd wäre. Charley ist immer bereit, Willy in Geldverlegenheiten auszuhelfen, er tut es uneigennützig, gegen seine geschäftlichen Prinzipien. Aber er erklärte ausdrücklich, daß niemand behaupten könne, daß er ihn besonders gern habe, daß Willy sein Leben lang auf ihn neidisch war und sich nicht bekehren will oder kann. Bei ihm und seinem Sohn Bernard, der den vitalen Willy einst bewunderte, ist etwas wie dankbare oder gewohnheitsmäßige Anhänglichkeit geblieben, die den Menschen Willy auch in voller Erkenntnis seiner Fehler schätzt.

Willy aber verfällt dem Irrtum, daß Beliebtheit schon Erfolg sei: "Be liked and you will never want." So wird das Stück zur Tragödie eines mißverstandenen Lebens, in die auch die vom Vater stets überschätzten Söhne mit einbezogen werden, weil sie entweder zu viel vom Wesen des Vaters haben wie Happy oder zu spät sein wahres Wesen und seinen wahren Wert erkennen wie Biff. Willy kompensiert seine Minderwertigkeitskomplexe durch ein übertriebenes, wenn man will, krankhaftes Geltungsbewußtsein. Er wiegt sich so lange in Illusionen und in die erdichtete Rolle des beliebten und erfolgreichen Geschäftsmannes ein, bis er von ihnen überzeugt ist, sie für Wahrheit nimmt. Das macht ihn zum unwillkürlichen Tyrannen in seiner Familie, unwillkürlich, weil er das Gegenteil von dem tut, was er glaubt und will. Er schätzt seine Söhne falsch ein und zwingt sie dadurch auf falsche Wege, auf denen ihnen Mißerfolg und Enttäuschung begegnen müssen. Willys Optimismus ist an sich nicht schlecht, nur Selbstvertrauen und Zuversicht führen den Menschen nach oben. Bei Willy Loman aber stehen diese Eigenschaften, die in richtiger Anwendung wertvolle und nützliche Tugenden sein können, in schroffem Gegensatz zu den Realitäten, sie konstruieren eine neue Wirklichkeit, die es nicht gibt. Der Mann Willy Loman ist richtig, aber alle seine Träume, seine Wertvorstellungen und seine Ideen vom Funktionalismus der menschlichen Gesellschaft sind falsch. Willys Einschätzungen gesellschaftlicher Werte stimmen nicht, darum können auch die daran geknüpften Erwartungen für das Leben nicht zutreffen.

Mit keinem Wort klingt im Stück ein gesellschaftliches Programm an. Auch Biff, der die falschen Wertvorstellungen des Vaters, seine falschen Träume, erkennt, zieht daraus keine politische Folgerung. Wenn Miller in den dreißiger Jahren, in seinen dichterischen Anfängen, in gewisser, wenn auch lockerer Verbindung mit links gerichteten Dramatikern stand, so ist in *"Der Tod des Handlungsreisenden"* nichts davon zu spüren. Der Selbstmord Willy Lomans ist eine Tat real begründeter Verzweiflung, materieller Bedrängtheit. Aber er ergibt sich weder aus klassenkämpferischer Reaktion auf eine ungerechte Weltordnung noch aus dem Gefühl des Unterdrücktseins durch eine zu Unrecht herrschende kapitalistische Klasse. Die letzte Ursache dieses Endes ist die Verblendung, die Verranntheit Willys in falsche Träume, aus denen er sich nicht zu lösen vermag. Willy kann schon deshalb nicht als Protest gegen den Kapitalismus und sein Herrschaftssystem gedeutet werden, weil sein höchstes Streben ist, Mitglied dieser kapitalistischen Schicht zu werden. So begeht er auch den Selbstmord in dem Wahn, wegen seiner Lebensversicherung wenigstens im Tode als erfolgreicher Geschäftsmann zu gelten, das große Geschäft seines Lebens zu machen und gleichzeitig dem Sohn, dessen Fähigkeiten er maßlos überschätzt, seine Dankbarkeit für seine Liebe zu beweisen und ihm zum erfolgversprechenden Handeln aufzurütteln. "When the mail comes he'll be ahead of Bernard again ... Oh, Ben, I always knew one way or another we were gonna make it, Biff and I." (146)

Das gerade ist sein falscher Traum. Es gibt kein Mittel, aus Biff etwas anderes zu machen, als er ist. Er ist und bleibt ein Dutzendmensch, mit dem keine Lorbeeren zu ernten sind.

Das alles könnte den Eindruck erwecken, daß es Miller auf einen psychiatrischen Fall ankäme. Man wird sich vor diesem Gedanken hüten müssen. Willy ist nicht krank, auch wenn er, wie Biff ausspricht, nicht die „Erfolgskanone" ist, für die er sich ausgibt. Willy ist als Mensch nicht falsch, er deutet nur die gesellschaftlichen Verhältnisse falsch, er will sie nach seinen individuellen Vorstellungen und Wertauffassungen geordnet sehen und gerät damit in Widerspruch zur Unpersönlichkeit und Sachlichkeit des modernen Geschäftslebens. So muß man die Deutung gelten lassen, daß den zentralen Gestalten Willy und Biff die Kontrastgestalten Charley und Bernard trotz ihres Erfolges in der Arbeitswelt und Gesellschaft unterlegen sind. Sie empfinden es selbst, wenn sie Willys handwerkliche Geschicklichkeit, seine Freude an körperlicher Arbeit und seine enge Bindung an die Natur, die auch sinnbildlich im Bühnenbild durch die grünen Blätter, die vorübergehend die großstädtische Fassade verhüllen, angedeutet wird, bewundern. Charley und Bernard sind auch gefühlsärmer, unfähiger zu echter Liebe als Willy. Als Grund für den schnellen Erfolg des Sohnes führt Charley an, daß er ihn gewähren ließ, an nichts Anteil nahm und ihm selbst überließ, seinen Weg zu suchen und zu gehen. Charley hatte nie den Wunsch, für seinen Sohn das bewundernde Vorbild zu sein, sich selbst in ihm und seinem Erfolg bestätigt zu sehen. Charley hat sich gegen die Enttäuschung abgesichert, wie sie Willy Lomans Verhältnis zu seinen Söhnen kennzeichnen.[24] Damit bringt er sich aber auch um die Erfahrung, die Willy vor seinem Tode noch zur Genugtuung wird. Biff hat die Illusionen des Vaters durchschaut, er weiß, daß er nicht derjenige ist, für den er sich hält. Er haßt ihn, seitdem er ihn, den er als Vorbild der Sitte verehrte, als Ehebrecher kennenlernte, und er glaubt, sich an ihm rächen zu müssen. In der letzten und entscheidenden Auseinandersetzung aber bricht Biff zusammen, die alte Liebe zum Vater wird wieder übermächtig, der Sohn identifiziert sich gefühlsmäßig mit ihm und seinem Schicksal. Der Mensch Willy Loman ist stark und richtig, falsch ist sein Verhältnis zur modernen Arbeitswelt, die Charley und Bernard erfolgreich als nun einmal gegeben und unabänderlich hinnehmen. Die Bereitschaft zur Anpassung und zum Kompromiß,

---

24) Goetsch, S. 109.

Fleiß und Verzicht auf Individualität sind Voraussetzungen für den Erfolg. Das Menschliche hat keinen Platz mehr in dieser Arbeitswelt, obwohl es keineswegs vergessen ist. Am Grabe Willys findet Charley schöne und ergreifende Worte über den toten Freund. Er war ein Handlungsreisender und lebte seinem Beruf entsprechend in der Welt der Phantasie. Den Verlust seiner Träume konnte er nicht verwinden. Das klingt sehr schön und überzeugend, aber Charley muß wissen, daß seine Worte nicht wahr sind, oft genug hat er früher dem Freund vorgeworfen, daß er kein Handlungsreisender ist, weil er die Regeln des Geschäftslebens nicht anerkennt. So sind seine Worte nichts als pastoraler Trost für die Witwe, die ihn gern hört und glaubt. Sie sind eine der üblichen Grabreden, in denen Phrasen gedroschen werden, mit denen man die Gefühle der Leidtragenden schont. Mit der Wahrheit nimmt es der Grabredner nicht genau.

Dennoch wird man Millers Werk nicht gerecht, wenn man es nur als die Tragödie eines irrenden Menschen nimmt. Miller zieht aus dem Versagen und dem Selbstmord Willys keine politische Konsequenz in Richtung auf eine bestimmte Ideologie. Er glaubt nicht an eine radikale politische Umgestaltung und Erneuerung der Gesellschaft, an ein durch gesellschaftspolitische Veränderungen herbeizuführendes Paradies auf Erden. Auch die Szene mit Howard richtet sich nicht gegen die Rücksichtslosigkeit des Kapitalisten, der seine Macht dazu mißbraucht, den nicht mehr leistungsfähigen Angestellten auf die Straße zu setzen. Es gibt keinen Klassenkonflikt. Howard hat durchaus Sympathie für den alten Angestellten seiner Firma. Er betont die enge Verbindung zwischen ihm und seiner Familie dadurch, daß er ihm stolz und umständlich die Stimmen seiner Frau und seiner Kinder auf dem Tonbandgerät vorführt. Die Erinnerungen an Versprechen aber, die sein Vater machte, sind ihm zwar peinlich, können ihn jedoch nicht beeinflussen. Die Zeit seines Vaters, dessen Verhältnis zu seinen Angestellten noch patriarchalisch geprägt, also zum Fürsorgedenken und der Verantwortlichkeit des Vaters bestimmt und am Bilde der Familie orientiert war, ist zu Ende. Die Versprechen seines Vaters sind für ihn nicht verbindlich, Sachlichkeit ist das herrschende Prinzip. Gewiß ist dieses Prinzip unmenschlich, aber es ist das übliche und wird als solches auch von Willy angenommen. Im übrigen ist für Willy mit der Entlassung als Handlungsreisenden noch keineswegs alles verloren. Es besteht kein vernünftiger Grund dafür, anzunehmen, daß Howard sich nicht für ihn einsetzen wird, wenn er erst wieder einen gewissen Grad von Leistungsfähigkeit nachweisen kann, daß er nicht den guten Willen, von dem er spricht, hat. Außerdem bietet ihm Charley einen Job an, den er ausfüllen kann und der ihm die dringenden Existenzsorgen fernhält. Willy Lomans Selbstmord fällt zwar in eine wirtschaftlich bedrängte, aber noch lange nicht hoffnungslose Zeit für ihn. Er stirbt nicht als Opfer einer unbarmherzigen, ungerechten Gesellschaftsordnung, sondern weil er den Widerspruch zwischen seinen erträumten Vorstellungen von der menschlichen Gesellschaft und der Realität nicht mehr erträgt, an ihm zerbricht. Es ist überliefert, daß Miller das Stück ursprünglich "The Inside of His Head" nennen und schon im Bühnenbild die Unzulänglichkeit von Willys Lebensdeutung an den ihr selbst liegenden Widersprüchen gestalten wollte. Aber er erkannte die Gefahr einer solchen Abstraktion, die geeignet war, das Publikum zu belustigen, statt zu ergreifen. So stellte er das Geschehen entscheidend in die Realität, die geeignetere Maßstäbe zur Entlarvung der falschen Träume Willy Lomans lieferte. Nur auf diesem Weg aber konnte er auch die zeitkritische Tendenz des Werkes sichtbar machen.[25]

Die Zeitkritik richtet sich gegen die Anschauung, die man als den typischen "American way of life" zu bezeichnen pflegt. Es handelt sich um Lebensformen und Vorstellungen, die auch auf die übrigen Völker übergegriffen haben, und mit denen sich auch die Europäer jeder Nation und politischen Richtung auseinanderzusetzen haben. Goetsch führt aus: „Millers Zeitkritik hat mithin zwei Ziele: erstens wendet er sich gegen die Realiät der modernen Industriegesellschaft, zweitens gegen die ideologischen Vorstellungen, die diese Wirklichkeit verschleiern.[26] Die Industriegesellschaft hat überall die gleichen Züge der Entpersönlichkeit und Versachlichung. Sie ist die reine Leistungsgesellschaft, deren Grundsätzen auch die industrialisierten sozialistischen Länder, wie Miller an anderen Stellen ansetzt, folgen. Der einzelne ist ein Rädchen im großen Mechanismus, er ist nicht als Individuum interessant, sondern nur als funktionierendes Glied des Ganzen, eines höchst komplizierten und vielfältigen Apparates, in dem doch überall die gleichen Gesetze gelten. Neben dieser technisch und ökonomisch bestimmten Welt kann noch die private existieren, in der spezielle Fähigkeiten und Wünsche ihre Entfaltung finden können. Kein Talent und kein höchstes Streben kann die Arbeit am Fließband besser machen, der Automat

25) vgl. dazu A. Miller, Zeitkurven, S. 245: "...Willy ist repräsentativ für jedes System und für uns alle in der heutigen Zeit..."
26) Goetsch, S. 112.

entscheidet über die Leistung, nicht der Mensch. Im Fortschritt der Entwicklung wird der Mensch selbst zum Automaten, der ausgewechselt werden muß, wenn er verschlissen ist oder aus einem anderen Grunde nicht mehr reibungslos funktioniert. Das gilt nicht nur im technischen, sondern auch im gesellschaftlichen Betrieb. Vom einzelnen wird eine bestimmte Handlungsweise erwartet, nicht mehr. Funktioniert er nicht mehr, so muß man ihn ausbauen und auswechseln. So fordert es das Gesetz des Industrialismus und der Industriegesellschaft. Daran kann weder eine überkommene religiöse noch eine politische Ideologie etwas ändern, denn sie alle berühren nur den Menschen außerhalb des funktionierenden Arbeitsprozesses. In diese moderne Arbeits- und Geschäftswelt aber reichen noch vorgeformte Anschauungen und Träume vom amerikanischen Leben hinein, die das wahre Bild verdecken und diejenigen, die ihnen folgen, in die Irre führen können. Diese Träume hat Willy Loman, nach ihnen richtet er sein Leben aus, er hält auch im Tode noch daran fest.

Goetsch grenzt drei Vorstellungsbereiche ab, die Miller in "Der Tod des Handlungsreisenden" kritisiert. Es sind: „1. Der Pioniermythos, 2. der Popularitätskult und 3. der Mythos des abenteuerlichen Risikos oder der Mythos der letzten Grenze."[27] Der Pioniermythos wird dadurch vorbereitet, daß bei Willy Loman gerade die Fähigkeiten wie leitmotivische Attribute herausgestellt werden, die der Pionier brauchte: das handwerkliche Geschick und die Liebe zur Natur. Sinnbildlich wird nach Goetsch Lomans Eintritt in die trügerische Welt dieses Mythos durch die Flötenmusik angedeutet. Willys Vater war besonders geschickt in der Herstellung von Flöten. Wenn er mit seinem Planwagen durch das Land zog, beschaffte er sich den Unterhalt durch den Verkauf selbstgefertigter Flöten. Auch sonst erwies er sich als geschickt in der Erfindung und Improvisation von nützlichen Gebrauchsgegenständen. Das Zweckdenken der modernen großstädtischen Arbeitswelt gilt nicht für den Pionier, es ist sogar unbrauchbar für ihn. Willy träumt sich in der Tiefe seines Bewußtseins in die Rolle des Pioniers. Er erinnert sich gern der Zeit, als es noch Bäume statt der Hochhäuser um sein kleines Haus gab, als er mit den Söhnen an der Erweiterung des Hauses oder im Garten arbeitete und sich das Material dazu beschaffte, wo es sich fand. Im Erinnerungstraum schickt er die Söhne wieder auf den nahen Neubau, um dort Sand für die Terrasse zu besorgen. Charley, der ganz in der Gegenwart lebt, hat zu der Freude Willys und seiner Söhne über

---

27) Goetsch, S. 113.

diese Ungebundenheit nur besorgt anzumerken: "Willy, the jails are full of fearless characters". (53) Nach Millers Überzeugung ist der Pioniermythos nicht mehr zeitgemäß, er steht im Widerspruch zu den Gesetzen der modernen Welt. In Willys Jugend mochte der Traum vom freien, naturverbundenen und schöpferischen Pionierdasein noch eine gewisse Berechtigung haben. Die Entwicklung der modernen Arbeits- und Leistungsgesellschaft aber hat ihn unsinnig gemacht. Willy ist „unfertig" geblieben, wie er gegenüber dem erträumten Ben eingesteht. Auch Biff war dem Pioniermythos erlegen, er wollte auf fernen Farmen das freie und naturnahe Leben führen. Er kehrt enttäuscht zurück. Auch auf den Farmen gelten die gleichen Gesetze wie im großstädtischen Massenbetrieb, auch sie sind der Technik und der Wirtschaftlichkeitsberechnung unterworfen.

Fragwürdig ist aber auch der Mythos oder Kult der Popularität. Willy Loman entschloß sich, Handlungsreisender zu werden, als er den 84 Jahre alten Dave Singleman beobachtete, der so bekannt war, daß er seine Kunden nicht mehr aufzusuchen brauchte. Sie kamen zu ihm ins Hotel, wo er sie in grünen Filzpantoffeln empfing und seine Geschäfte mit ihnen abwickelte. Er suggerierte Willy den Glauben, daß der Verkaufserfolg sich von selbst einstellen müsse, wenn man genügend populär sei. Willy übersah, daß jener Dave Singleman diese Beliebtheit wohl erst durch ein langes und arbeitsreiches Leben und durch seine außergewöhnliche Tüchtigkeit erwarb. Es genügt noch nicht, wenn man bei abenteuerlustigen Einkäuferinnen oder Sekretärinnen beliebt ist und Erfolg hat. Willy Loman muß in den realen Szenen immer wieder erkennen, daß er nie die Beliebtheit Singlemans erreichen wird. Er gesteht sich und Linda, daß er das Gefühl hat, von den Leuten nicht ernstgenommen zu werden. Aber er kann den Mythos nicht aufgeben, und weil er die Popularität in der Wirklichkeit nicht findet, sucht er sie umso mehr in seinen Träumen. So ist es ihm auch unbegreiflich, daß der einst als kommender Fußballstar umschwärmte Biff ein Versager ist. „Hinter Lomans Selbstbetrug und dem Popularitätskult im allgemeinen steht der verständliche, aber die Wirklichkeit leugnende Wunsch, an dem absoluten Wert des Individuums, einer Grundvorstellung des "American dream" festzuhalten", schreibt Goetsch[28]. Er zitiert weiter F. N. Mennesmeier, der in „Das moderne Drama des Auslandes" (Düsseldorf 1961) schrieb: „... der krampfhafte Versuch, die moderne Massengesellschaft, die

---

28) Goetsch, S. 115.

dem Individuum eo ipso seinen Platz bei der gesichtslosen Millionen-Statisterie anweist, umzuinterpretieren in eine Gesellschaft individuell greifbarer Akteure, von denen angeblich jeder eine unverwechselbare Rolle spiele."[29] Aber dieser Wunsch ist Teil eines unwirklichen Mythos, der in der Gegenwart keinen Rückhalt hat. Willy Loman indessen hält ihn fest, er bleibt auch nach allen Rückschlägen und Enttäuschungen dabei, als Biff ihm die Wahrheit über sie beide sagt: "I am not a dime a dozen! I am Willy Loman, and you are Biff Loman." (143)

Der dritte und gefährlichste Mythos ist der der letzten Grenze. Er wird in Willys Phantasie von Ben verkörpert. Gemeint ist die Möglichkeit, die Gesellschaft ganz zu verlassen, in noch unerschlossenen Gebieten, in denen noch Gesetzlosigkeit herrscht, durch Härte und Einsatz des Lebens zu Reichtum zu gelangen, um dann als gemachter Mann in die Zivilisation zurückzukehren. Der Pionier, wie Willy Lomans Vater, blieb noch in mehr oder weniger fester Bindung mit der Gemeinschaft. Ben geht in die Wildnis, wo er sich durch Rücksichtslosigkeit und Grausamkeit durchsetzt. Für ihn ist das Leben der Dschungel, in dem nur das Recht des Stärkeren gilt, in dem Fairness unangebracht, ein Zeichen von Schwäche und gefährlich ist. Miller führt Ben ein und zeigt damit an, daß er überzeugt davon ist, daß dieser Traum der letzten Grenze, die Hoffnung noch nach neuen und unbekannten Grenzen in Zonen unbegrenzter Möglichkeiten aufzubrechen, immer noch im amerikanischen Volke lebendig ist. Die Gefahr dieses Mythos liegt darin, daß den unzulänglichen Werteordnungen der Gesellschaft keine neuen Werte, sondern nur Stärke und Gewalt gegenüberstellt. Er ist die letzte Konsequenz aus reinem Erfolgsdenken, das dem Gesetz der Wildnis Vorschub leistet. Willy Loman unterliegt ihm, er spricht von Alaska und Afrika. Ben, der doch nur sein anderes erträumtes Ich ist, ermutigt ihn zum Aufbruch in das letzte unbekannte Land, zum Selbstmord. Er hebt den "American dream" auf die letzte Spitze.

Millers Zeitkritik richtet sich also gegen den "American way of life", aber nicht unkritisch. Er bleibt bei der Kritik in sicheren, humanen Maßstäben. Willys Streben nach einem besseren Dasein, nach dem Erfolg, ist an sich gut und verdient Anerkennung. Es ist ein erfreulicher und sympathischer Zug an ihm. Werden aber Willys Wertvorstellungen an der Wirklichkeit gemessen, so zeigt sich, daß sie diese vernebeln, verzerren und verfälschen,

---

29) Goetsch, S. 103.

nicht aber, was Ziel allen gesunden Strebens sein muß, über sie hinausführen. Wesentliche Vorstellungen des "American way of life" halten vor der Wirklichkeit der Gegenwart nicht stand, sie lassen sich in der modernen Industriegesellschaft und Großstadt nicht verwirklichen. Miller ist enttäuscht darüber, daß in Amerikas Entwicklung der alte Menschheitstraum vom kulturellen Neubeginn, von einer neuen Freiheit und Selbstentfaltung des Individuums nicht verwirklicht worden ist. Damit steht er in einer Reihe mit vielen seiner Zeitgenossen und folgenden Autoren. Was bleibt, ist die Hoffnung. Miller hat keine ideologischen oder politischen Vorschläge für eine bessere gesellschaftliche Ordnung anzubieten. Nicht die gesellschaftliche Ordnung an sich ist schlecht, sondern die Art und Weise, wie die einzelnen Menschen sie annehmen, sich in sie einfügen oder die sicher vorhandenen Mängel zu beheben gewillt oder in der Lage sind. Der Fehler liegt darin, daß die Menschen die bestehende Ordnung entweder einfach als gegeben hinnehmen und sich ihr anpassen oder sich in Träume flüchten. Eine pauschale Lösung könnte nur die eine unzulängliche Ordnung durch eine andere ebenso unzulängliche, wenn nicht unzulänglichere ersetzen. Eine Wandlung der Gesellschaft ist nur möglich, wenn jeder einzelne Mensch sich selbst und sein Verhältnis zu ihr wandelt. Wenn Willy Lomans Schicksal als typisch dargestellt wird, so ist es letzten Endes doch in seiner Persönlichkeit, in seinem Verhaftetbleiben in nicht mehr zeitgemäßen Mythen, in sehr fragwürdigen, weil nicht mit der gesellschaftlichen Wirklichkeit im Einklang stehenden Träumen begründet. Als positiv bleibt das neue Selbstverständnis Biff Lomans, der die Mythen, die er vom Vater übernahm, überwindet. Dieser hat, nach Goetsch „Biff gelehrt, seine eigene Position zu erkennen, die eigenen falschen Träume zu verwerfen und dennoch seinen Vater, den Träumer, zu verstehen und zu lieben"[30]. Für ihn war der Tod des Handlungsreisenden nicht umsonst. Neben ihm aber steht sein Bruder Happy, der nach den Reden, die er im Requiem führt, gewillt ist, alle Fehler, alle Irrtümer und Selbsttäuschungen des Vater fortzusetzen in der gleichen trügerischen Hoffnung, der gleichen Erwartung, an der Willy Loman zerbrach.

---

30) Goetsch, S. 117

4.2 "Hexenjagd", Tragödie der Umbruchzeit

Millers *"Hexenjagd"* spielt in einer Zeit des Überganges. Pastor Hale beruft sich zur Rechtfertigung für seine anfängliche Strenge ausdrücklich auf diese Zeiten. Auch sonst werden die neuen Zeiten für die große Verwirrung, aber auch für den Angriff des Teufels gegen die fromme Gemeinde als Grund angeführt.

Alles Verhängnis der Tragödie entwickelt sich aus einer einzigen Ursache, so, wie eine zerstörerische Infektion von einem einzigen kleinen Herd ausgehen kann. Pastor Hale hat recht, wenn er nach der geheimen Sünde forscht, die alles Unheil verursachte. Es ist John Proctors Ehebruch mit der noch kindlichen Magd Abigail. Diese Verfehlung gewinnt ihre verheerende Kraft aber erst aus der Sittenstrenge der puritanischen Gesellschaftsordnung. Alle auftretenden Gestalten sind daran orientiert. John Proctor ist ein aufrechter und strebsamer Bauer, fleißig und unermüdlich in der Arbeit, bieder und grundehrlich im Wesen. In schlichter Weise hat er sich fraglos dem Lebensstil der puritanischen Gesellschaft angepaßt, ohne mehr als das Notwendigste von ihren Grundlagen zu wissen. Er verfällt der Schönheit und der Verführung der lebensgierigen Abigail. Das ist verwerflich, aber menschlich verständlich. Seine Frau ist kränklich, streng und kühl. Seine starke Sinnlichkeit bleibt unausgefüllt. Man kann nicht unbedingt sagen, daß er Abigail verführte, ebenso wenig hat sie ihn verführt. Die Gelegenheit war stark, wie durch Naturgewalt fielen beide einander zu. Die Ordnung der Gemeinde und das moralische Gesetz veranlassen die strenge Elisabeth, ihr die Tür zu weisen. Abigail muß das hinnehmen, denn die strenge Lebensordnung der puritanischen Gemeinschaft würde sie und Proctor in harte Strafe nehmen. Proctor aber sieht nicht nur die Gemeinschaft mit seiner Frau gefährdet. Sie bleibt ihm die gute und sorgsame Hausfrau. Mehr war auch vorher nicht da. Aber er fühlt sich vor sich selbst entehrt. Was er seit der Jugend lernte und lebte, ist durchbrochen, das Gleichmaß des frommen Lebens ist verwirrt. Darunter leidet er. Er fühlt, daß er seine Würde als Mann und Christ vergeben hat. Alle guten Vorsätze nützen nichts, sie machen nicht ungeschehen, was seinem puritanischen Denken gemäß überhaupt nicht mehr verändert werden kann. Noch ist er nicht zur Reife des wahren Menschentums vorgedrungen, noch ist er Erzeugnis einer gesellschaftlichen Konvention, die man nicht ungestraft durchbricht. Auch wenn die Menschen ihn nicht strafen, der sicheren Strafe Gottes kann er nicht ausweichen. Proctors natürliche Kraft ist durch seine Verfehlung gebrochen. Er wahrt nach außen hin den Schein, und seine Frau hilft ihm dabei. Aber die Ordnung, die göttliche und menschliche, ist aufgehoben.

Abigail bleibt zunächst ebenfalls unentdeckt, da Proctor und seine Frau schweigen. Aber ihr begegnet Mißtrauen. Nach so kurzer Zeit aus einem Dienst gewiesen zu werden, macht sie verdächtig. Niemand will sie in seinen Dienst nehmen. Im Gegensatz zu Proctor aber antwortet sie darauf mit Haß gegen die ganze Gesellschaft, den sie zwar nicht offen zeigen kann, der aber ein Ventil braucht. Dabei bleibt ihre Liebe zu Proctor tief und innig, bringt sie aber in phantastische Überhitzung. Sie glaubt fest daran, daß ihr nur Proctors Frau im Wege steht. Miller sagt von ihr, daß sie „von unbegrenzter Fähigkeit zu Verstellungen" war. Auch das ist die Folge ihrer Erziehung im Sinne der puritanischen Gesellschaft. Dazu kommen ihre rege Phantasie und die durch Proctor vorzeitig erregte starke, ja übermächtige Sinnlichkeit, die sie zur Gefahr machen. Ihr Haß ist tödlich und braucht nur eine Gelegenheit, um sich vernichtend zu entfalten. Die plötzliche und natürlich zu erklärende Krankheit ihrer Base, die ihr selbst Strafe wegen des verbotenen nächtlichen Tanzes bringen kann, wird diese Gelegenheit. Sie erkennt, daß ihr Onkel, der viel angefeindete Pastor Parris, einen Ausweg aus der Verwirrung sucht, in die ihn diese Erkrankung, die außer seiner Tochter auch deren Freundinnen traf und wilde Gerüchte wachrief, stürzte. Es geht um seine Existenz. Der ehemalige Sklavenhändler und spät berufene Gottesdiener weiß, daß ihm Mißtrauen begegnet, auch wenn er von dem Neid der Gemeindemitglieder, die lieber einen Verwandten in seinem Amt sähen, absieht. Da sind ihm die Hexen, die in der unsicheren Zeit voller Umwälzungen vom Teufel gegen die Gemeinde mobilisiert werden, ein willkommenes Mittel, seine Feinde abzuwehren. Abigail wird durch ihre Verstellungskunst, die sich mit der Angst und dem festen Entschluß, sich den Weg zu Proctor freizumachen, paart, sein wirksames Werkzeug. Es ist schwer zu sagen, ob Parris wirklich an die Hexen glaubt. Ganz sicher ist, daß er im Lauf des Geschehens die Wahrheit erkennt und sie nun aus dem Willen, sich zu behaupten, gegen seine bessere Überzeugung mit allen Mitteln zu verschleiern bemüht ist. Daher rührt auch sein Wunsch, wenigstens einen angesehenen Angeklagten zum Geständnis zu bewegen. Das müßte die Gemeinde überzeugen und sein schrumpfendes Ansehen wieder festigen.

In diesem Stück gibt es keine Charaktere im Sinne der klassischen Dramatik. Ihr wahres Wesen wird erst im "Crucible", im Schmelztiegel der großen geistigen Wirrnis, des Leidens und der Angst, von allen Schlacken der erstarrten Konvention geläutert. Es ist falsch zu sagen, daß John Proctor, wie man in manchen Kommentaren liest, zunächst versagt. Wenn er sich gegenüber einer widersinnigen und tyrannischen Justiz dazu durchringt, gegen sein besseres Wissen und seine Überzeugung das Teufelsbündnis einzugestehen, um sein Leben zu retten, so liegt es daran, daß er sich nur als religiöses Wesen sieht, noch nicht den wahren Wert des Menschen erkennt. Er glaubt sich wegen seiner Sünde von Gott verworfen, er hat nichts mehr zu verlieren als das Leben. Er weiß nur um die Anfälligkeit und die daraus folgende Bedeutungslosigkeit seiner Existenz. Aber er kommt zu der Erkenntnis, daß er sich erst dann das Anrecht auf seinen Namen und damit sittliche Autonomie erwirbt, wenn er illusions- und bedingungslos zu menschlichen Werten und allen voran zur Wahrhaftigkeit bekennt und nicht mehr mit der Unmenschlichkeit und Einsichtslosigkeit Kompromisse schließt. Im Sterben wird er nicht nur zum Sieger über sich selbst, was Elisabeth seine „Gutheit", die Zusammenfassung der höchsten menschlichen und sittlichen Werte, nennt, er überwindet auch seine Feinde.

In eindrucksvollem Gegensatz zu dem opportunistischen und egoistischen Gottesdiener Parris steht Pastor Hale. Er ist Spezialist für Hexenwesen und stolz darauf. Nie kommt ihm der geringste Zweifel an der Wirklichkeit der Hölle und ihrer direkten Einwirkung unter den verschiedensten Gestalten auf die Menschen. Diesen Glauben teilt er mit vielen großen Geistern seiner und auch noch unserer Zeit. Miller ergeht sich darüber in einem eingehenden Kommentar des ersten Aktes. (37-40) Aber Pastor Hale ist unbestechlich, fanatisch auf die Wahrheit bedacht. Er ist menschlich und weiß um die Anfälligkeit des Menschen, die ihn leichter zu Fall bringen kann als die unmittelbare Einwirkung der Unterwelt. Aber der böse Feind ist ihm real, er fühlt sich durch sein Wissen um Hexerei und Zauberwesen dem Kampf mit ihm gewachsen. In Salem aber wird ihm bald klar, daß hier nicht nur menschliche Dummheit, sondern auch Zweckdenken, persönliche Eitelkeiten und Wünsche das Geschehen lenken. Er kennt die Literatur über Hexen, aber er hat darüber nicht den scharfen Blick für die Menschen, für ihre Fehler und Tugenden, für ihre Unzulänglichkeit und ihr ehrliches

Wollen verloren. Verzweifelt muß er jedoch erkennen, daß der Wahn stärker ist als alle Vernunft, weil er nicht mehr aus Überzeugung, sondern aus niedrigen menschlichen Motiven aufrechterhalten wird. In solchen Beweggründen findet er den Widerstand des Richters Danforth, der stellvertretend für die anderen steht. Danforth kann sich auf Dauer nicht der Erkenntnis verschließen, daß seine Urteile ungerecht, seine Opfer unschuldig sind, daß er sich täuschen ließ. Aber der Glaube an seine Amtsautorität, die Unfähigkeit, sich selbst zu einem Irrtum zu bekennen, seine Eitelkeit und die Angst um seinen Posten machen es ihm unmöglich, der erkannten Wahrheit nachzugeben. Lieber opfert er Unschuldige, als daß er sein Amt und seine Herrlichkeit antasten ließe. Er geht aus dem "Crucible", der Pastor Hale geläutert und als Kämpfer für Wahrheit und Menschlichkeit freigibt, als schmutziger Mörder mit dem falschen Schein des amtlichen Rechtes hervor.

Geläutert im "Crucible" wird auch Elisabeth. Sie erkennt ihr menschliches Versagen gegenüber ihrem Mann, dem sie Richterin statt Gefährtin war. Sie begreift den hohen Wert der Liebe. Die „Gutheit" ihres Mannes, sein wahrhaftiges menschliches Gutsein, das seine einmalige Verfehlung nicht aufhebt, aber ihn umso mehr der helfenden Liebe bedürftig macht, geht ihr auf. In der Härte ihrer religiösen Strenge glaubte sie, ihm nicht verzeihen zu können. Aber Leid und Verfolgung und die Erkenntnis, welchen schweren Kampf ihr Mann über sich selbst um des bleibend Guten, um der Menschlichkeit willen bestehen mußte, zwingen sie, ihre eigene Schuld zu erkennen und seine Verzeihung zu erbitten. Die wahrhaft Bösen und Verwerflichen aber, die dazu nicht des Teufels, sondern nur ihrer eigenen menschlichen Unzulänglichkeit bedurften, Parris und Abigail, überleben den Prozeß im "Crucible" nicht, sie verflüchtigen sich. Nur die Legende weiß von ihnen, daß sie untergingen oder auf der untersten Stufe des menschlichen Seins endeten.

In seinen erweiterten Bühnenanweisungen, die eigentlich schon Kommentare sind, läßt Miller erkennen, daß sein Werk für eine jederzeit wiederholbare menschliche Verirrung steht. Um die Menschlichkeit, die Erhaltung und Förderung des Lebens geht es Miller. Sein Werk soll zeigen, wohin jede tyrannische Härte, jede absolute Herrschaft eines vorgefaßten Glaubens führen kann. In seinen Kommentaren sieht man sich oft an die Idee des epischen Theaters, wie sie Bert Brecht theoretisch entwickelt hat, erinnert.[31] *"Die Hexenjagd"* ist ein Beispiel dafür, wohin menschliche Verirrung, Massenhysterie, verabsolutierte, einseitig orientierte Glaubensforderung und immer wieder die Angst die Menschen führen können. Abigail wird von der Angst getrieben, die sich bei ihr mit dem Haß der von der Gesellschaft gemiedenen „Sünderin" gegen diese Gesellschaft und sexueller Hysterie paart. Angst treibt aber auch den Richter Danforth zu sinnloser und verbrecherischer Härte, weil er von der ihm aufgegangenen Wahrheit eine Schädigung seines Ansehens, seines Glaubens an seine Gerechtigkeit und Unfehlbarkeit und vielleicht auch für seinen Posten befürchtet. Bei ihm verbindet sich die Angst mit Eitelkeit und Größenwahn des Amtes, Angst treibt Pastor Parris gegen besseres Wissen in die Hexenjagd, Angst um sein Amt. Schließlich wird die Angst allgemein und löst Wahnsinnsreaktionen aus, die Angst vor der Wahrheit.

Es gehört zur Tragik dieser Welt, daß sie sich offenbar nur durch Leiden und Opfer erlösen, menschlicher gemacht werden kann. Was ist das für eine widersinnige Gerechtigkeit in Salem? Wer leugnet, daß es Teufelbuhlschaft gibt, wird gehenkt. Dem gleichen Schicksal verfällt der, den irgendjemand der Hexerei anschuldigt, und der seine Schuld bestreitet. Nur Lüge und Verstellung können das Leben retten. Dazu muß man überdies andere denunzieren und der Verfolgung aussetzen, der einmal entfesselte Wahn findet keine Grenzen mehr. Angst und Wahnsinn rasen und verlangen ihre Opfer, wobei es schließlich gleichgültig ist, ob sie schuldig sind oder nicht, wenn nur der Wahn genährt wird. Der Wahnsinn wird zum System, unter dessen Herrschaft viele, die sich Gewinn davon versprechen, den Wahn planmäßig als Mittel für ihre selbstsüchtigen Zwecke gebrauchen.

Öffentliche Theorie, die sich pathetisch brüstet, sich mit hohen Reden und vorgetäuschten Idealen verbrämt, ist das Thema von Millers Stück. Der Dichter wählt dieses historische Beispiel, das menschlich ergreifend und erschütternd ist. Aber er dachte auch an die Verfolgung der Juden im Deutschland Hitlers, an systematische Jagd auf Menschen anderer Rasse und Hautfarbe in vielen Ländern der Welt, an die blutige Unterdrückung jeder Opposition im Stalinismus und an die Kommunistenjagden des MacCarthyismus. Durch das Selbstopfer eines einfachen Mannes zerbricht in Millers Stück der Wahn. Die Wahrheit, die eines solchen Opfers wert ist, erweist sich als stärker als aller Wahn und alle großen Phrasen, sie siegt

---

31) vgl. dazu die Ausführungen in den Bänden 186, 277 und 318 unserer Reihe.

aber auch über alle Ängste. Proctors „Gutheit", seine vollendete Aus-
prägung der dem Menschen eigenen Kräfte, trägt den endgültigen Sieg
davon. Die Menschlichkeit kann sich aber nur in der Freiheit entfalten. Zu
ihr findet Proctor über schwere Leiden in der Bereitschaft zum Selbstopfer.
Es gehört zum Wesen der Tragik, daß alles Neue, Bessere und Fortschritt-
liche nur durch Opfer erreicht werden kann. Zur Menschlichkeit findet auch
Hale bei voller Anerkennung der menschlichen Unzulänglichkeit in seinem
Entschluß, nach Salem zurückzukehren, weil viel Allzumenschliches auf
ihm liegt. Aber das kann kein Grund sein, ihn nicht zu gehen, so schwer der
Entschluß dazu auch fallen mag.

5. Stimmen der Kritik und zur gegenwärti-
gen Bedeutung der Stücke[32)]

(1)

... The possibility of victory must be there in tragedy. Where pathos rules,
where pathos is finally derived, a character has fought a battle he could not
possibly have won. The pathetic is achieved when the protagonist is, by
virtue of his witlessness, his insensitivity or the very air he gives off,
incapable of grappling with a much superior force.

(A. Miller. Tragedy and the Common Man, S. 147)

(2)

... The play grew from simple images. Frome a little frame house on a street
of little frame houses, which had once been loud with the noise of growing
boys, and then was empty and silent and finally occupied by strangers.
Strangers who could not know with what conquistadorial joy Willy and his
boys had once reshingled the roof. Now it was quiet in the house, and the
wrong people in the beds.
It grew from images of futility - the cavernous Sunday afternoons polishing
the car. Where is that car now? And the chamois cloths carefully washed

---

32) Die Zitate 1-10 sind dem Band von Gerald Weales entnommen: Arthur Miller.
Death of a Salesman. Text and Criticism.
Die Quellen der übrigen Zitate (11-15) sind jeweils gesondert angegeben. -
(Ausführliche Angaben im Literaturverzeichnis, S. 75)

and put up to dry, where are the chamois cloth?

And the endless, convoluted discussions, wonderments, arguments, belittlements, encouragements, fiery resolutions, abdications, returns, partings, voyages out and voyages back, tremendous opportunities and small, squeaking denouements - and all in the kitchen now occupied by strangers who cannot hear the walls are saying.

The image of aging and so many of your friends already gone and strangers in the seats of the mighty who do not know you or your triumphs or your incredible value.

The image of the son's hard, public eye upon you, no longer swept by your mouth, no longer rousable from his separateness, no longer knowing you have lived for him and have wept for him.

The image of ferocity when love has turned to something else and yet is there, is somewhere in the room if one could only find it.

The image of people turning into strangers who only evalate one another.

Above all, perhaps, the image of a need greater than hunger or sex or thirst, a need to leave a thumbprint somewhere on the world. A need for immortality, and by admitting it, the knowing that one has carefully inscribed one's name on a cake of ice on a hot July day.

(A. Miller. Introduction to Collected Plays, S. 162)

(3)

... If Everyman will forgive me, in Arthur Miller's Salesman there's much of Everyman. Bothered, bewilderd, but mostly bedeviled, as Willy Loman is, he's not a great deal different from the majority of his contemporaries. He, even as you and I, builds himself a shaky shelter of illusions.

You've the author's word that the motiv of *Death of a Salesman* is growth of illusion in even the most commonplace of mortals. In Willy Loman, the illusionist of the title, the individual is destroyed. And his progeny, Biff and Happy, are wrecked upon the rocks of reality.

Willy has created an image of himself which fails to correspond with Willy Loman as he is. According to the playwright, it's the size of the discrepancy that matters. In Salesman Loman, the discrepancy is so great that it finally slays him. Ironically, by his own unsteady hand.

In *Death of a Salesman*, the present and the past of Willy Loman exist concurrently - the "stream of consciousness" idea - until they collide in climax. Isn't it true that the Willy Lomans of this world are their own worst tragedy? At the Morosco, only Linda Loman can foresee the end.

And she, as wife and mother, is powerless to prevent it. This, to me, is the play's most tragic tragedy. She, too, is the play's most poignant figure. Not soon shall I forget her!

(R. Garland. Audience Spellbound by Prize Play of 1949, p. 200)

(4)

... The virtues of *Death of a Salesman*, as well as the shortcomings, most of which are not likely to be apparent to most playgoers while the play is in progress, belong to the American theatre. They epitomize its norm of versimilitude, identification with the *dramatis personae*, and a objectivity midway between sentimentality and European ironic detachment.

Most decisive is the transmutation of the story itself, and with this a transformation of the character posited for Willy. An ordinary playwright would have regaled us with a lengthy recital of Willy's misfortunes as a super annuated white collar worker immolated on the Moloch of the business machine once his usefulness had ended. In Miller's treatment this is a subordinate part of the story, the main feature of which is the struggle between Willy and his son Biff, so that the pathos of failure is pitched higher than the sociological level. Miller had the wisdom to justify our concern with his blatant hero by making the wheel of the drama revolve around the one attribute that makes Willy extraordinary being flagrantly atypical.

(J. Gassner. Death of a Salesman: First Impressions, 1949, p. 234-235)

(5)

... *Death of a Salesman* is a play written along the lines of the finest classical tragedy. It is the revelation of a man's downfall, in destruction whose roots are entirely in his own soul. The play builds to an immutable conflict where there is no resolution for this man in this life.

The play is fervent query into the great American competitive dream of success, as it strips to the core a castaway from the race for recognition and money.

The failure of a great potential could never be so moving or so universally understandable as is the fate of Willy Loman, because his complete happiness could have been so easy to attain. He ist an artisan who glories in manual effort and can be proud of the sturdy fine things he puts together out of wood and cement.

(W. Hawkins. Death of a Salesman. Powerful Tragedy, p. 202)

(6)

... As a man and a playwright who is deeply conscious of "tragedy" and whose voice has become of some importance on the stage today, the point of view implicitly suggested here raising some interesting questions about what Miller is. It offers a new suggestion perhaps that his work has been at least partly misunderstood, and this is important because *Death of a Salesman*, if not his other works too, has had an impact not only on critics but on popular audiences as well. Already, despite some controversial opinion about it. "Salesman" has been allowed the standing of a young classic. But where did it come from? "Classics" do not appear by means of magical processes; they come from somewhere and are obliges to be going some place. By definition, "classic" means "of or pertaining to a coherent system".

(W. Wiegand. Arthur Miller and the Man Who Knows, p. 291)

(7)

... Mr. Miller in this play has joined the school of American playwrights (Saroyan, Thornton Wilder, Tennessee Williams) who are trying to break out of the constrictions of the naturalistic play from while at the same time retaining the realist contemporary subject. It is an attempt to make a poetic approach to every day life without using poetry - or even hightened speech. The characters are to remain as inarticulate as they are in real life; the "poetry" is to be supplied by symbols, by the handling, the timeswitches, the lighting; the production, in short, is expected to do most of the work of evoking the hightened mood. Thus the Salesman of this play is living in a three-roomed Brooklyn house with his wife and two gone-to-the-bad sons. The stage design for this is skeletal; we see all three rooms at once, and we see, more important, looming up behind, the great lowering claustrophobic cliff of concrete skyscraper in which their living space is embedded.

(T.C. Worsley. Poetry Without Words, p. 225)

(8)

... Although the theme is the same, the tragic hero of *The Crucible* is different from the heroes of the other plays. John Proctor, unlike Joe Keller, refuses to commit the antisocial action. That is, he loses his life because he will not admit that he is a witch, a confession that would save his own life but make the others who would not confess seem guilty and thereby justify the trials. He refuses to sign the confession because it would mean handing his conscience to the judges, as he puts it, a loss of his "name". When Danforth asks why he will not sign, Proctor replies: "Because it is my name! Because I cannot have another in my life! Because I lie and sign myself to lies! Because I am not worth the dust on the feet of them that hang! How may I live without my name?" John Proctor is not an especially good or brave person. Indeed, he has previously committed adultery with the chief accuser of the witches, Abigail Williams, and his relationship is one of the main causes of the witch hunt. Abigail desires Proctor's wife to hang so that she may have him. Proctor has felt his guilt strongly, and, as Miller tells us, "has come to regard himself as a kind of fraud". His adultery and guilt have prevented him from feeling at one with his community. From his wife, too, he has been spiritually and mentally separated since his sin. But Proctor, like Biff Loman, finds himself during the course of the play. He openly admits to the communtiy that he is a "lecher" in order to save his wife, and after again feeling himself a part of the same brotherhood with the noble Rebecca Nurse and Giles Corey, to the "witches" who refuse to sign a false confession, he will not lose what he has gained. The ventral crucible, or trial, of *The Crucible* is John Proctor's personal test. He has a choice between life without conscience or death. He chooses to save his identity, his "name", even though it means his death.

(W. B. Dillingham. Arthur Miller and the Loss of Conscience, p. 346-347)

(9)

... To complete the pattern in these three works are characters foiling the Man Who Knows, each of whom may be discribed as the Man Who Learns. These characters are wrong-thinking at the beginning, mostly because of pride, but they learn something by the end. Joe Keller, who manufactures defective airplane engines and kills twenty-one pilots, hears that his own son has committed suicide because of the disgrace, forcing him to accept the fact that they were, as he says, "all my sons". Because of his early misapprehension, Joe must kill himself too. Willy Loman never comes to complete awareness of his mistake; that is the major impact and irony of *Death of a Salesman*. Still, even if there is no capacity to act on or talk about it, there is a Learning in "Salesman", a Learning that gets through to the audience and to Willy too: the dream is a sham and there can no possibility of his surviving to test ist further. Both Keller and Willy hence become victims, perhaps because they learn too late.

The pattern is varied slightly in *The Crucible*. The Man Who Learns here is the Reverend Hale, but unlike the earlier two plays, it is not he who suffers the death in the third act. But Hale takes the play over so completely from the victim, Proctor (who after all only Knows and is static) that the latter's martyrdom seems almost a sentimental afterthought. "I denounce these proceedings", Hale says at the curtain of the second last scene, but the tide of majority stupidity has allready engulfed them. He is too late too, and this is his tragedy.

What is Miller's verdict on these people who learn so slowly and painfully? Well, as Uncle Charlie says at Willy Loman's funeral, "No one dast blame this man". No one dast blame any of them - Keller, Willy, Hale. But it is sad, Miller says, sad that the few who comprehend the truth from the first were powerless to communicate it so that it could be understood in time. Miller's moral lesson ends in every case the same way. The false faith leads to martyrdom. In *All My Sons*, this faith is that "the world ends at the building line". In "Salesman", it is, of course, that material success is everything, and in *The Crucible*, the error is that witches exist and cast evil spells. In each case, a prevalent misapprehension sets the machine in motion. Whatever the nature of the false faith, someone must be martyred in the trial. This dramatic pattern is fimiliar, of course, in Greek tragedy.

(W. Wiegand. Arthur Miller and the Man Who Knows, p.. 300-301)

(10)

... This establishment of significance, after breakdown, through death, was the pattern of Joe Keller and Willy Loman; of John Proctor, in heroic stance, in *The Crucible*; of Gus, in a minor key, in *A Memory of Two Mondays*. We are at the heart, here, of Miller's dramatic pattern, and his work, in this precise sense, is tragedy - the loss of meaning in life turns to the struggle for meaning by death. The loss of meaning is always a personal history, though in Willy Loman it comes near to being generalized. Equally, it is always set in the context of a loss of social meaning, a loss of meaning in relationships.

(R. Williams. The Realism of Arthur Miller, p. 324)

(11)

... Totally bound up with both style and language ist the concept of imagery, the use of dominant ideas which thread through the play, holding together its symbolism. The title of the play is our first lead. Technically, a crucible (from a latin word meaning a melting-pot) is a vessel used as a container for molten metals in various smelting processes. The literal usage - and remember that Arthur Miller is using the distant Puritan area of his own native country as an allegory for any historical time of an individual's personal stress - would thus seem to be derived from a vessel containing a mixture, a hotch-potch, of good and bad materials which is heated to extreme temperatures, so that only the pure metal, tempered and refined to an otherwise impossible perfection, remains to be tapped off. Metaphorical and symbolically, it is the eventually burnt-out purged and purified essence of Proctor's soul which is redeemed from the surrounding alien dross and rubble: alter a long slow intense fire his light, reflected finally in his wife's face upturned to the sun, shines clear and supreme and all-conquering.

(J.L. Baker. Brodie's Notes, p. 33)

(12)

... *The Crucible*, then, by the very procedures which define its dramatic art, enforces upon us a recognition of the difficulty of distinguishing between the subjective and the objective, between the spectre and the witch. Hence, the play invikes our sympathy for the actors of tragedy who viewed their lives from much the same complicated perspective by which an audience views a play. The play, in other words, imitates the situation of the Puritans, who witnessed their world as the unfolding of a drama in which external events represented internal realities. But whereas the Puritans failed to recognize the fictionality of that dramatic performance in which their lives consisted, Miller's play, as a play, enforces our awareness of the fiction. It insists that life (i.e., history) and literature are both spectres of consciousness, ours or someone else's, projections of the imagination.

(E.M. Budick. History in The Crucible, p. 550)

* * *

(13)

... Das analytische Drama *Death of a Salesman* zeichnet in Form und Rück-blende und Bewußtseinsstrom eine Art amerikanisches Jedermanns-schicksal und kritisiert das Erfolgsstreben des "American way of life". Dieser Erfolgsillusion von Willy Loman (Kleiner Mann, „Jedermann") stellt M. die Realität des Versagens der ganzen Familie gegenüber; Vater und Söhne scheitern an der Unmöglichkeit der Lebenslüge. Gleichzeitig übt M. Kritik an der amerikanischen Erfolgsgesellschaft, die für die Alten, nunmehr Erfolgslosen keinen Platz mehr hat.

(H. Bock. Arthur Miller, S. 555)

✻

(14)

... „Der Tod des Handlungsreisenden" ist ein Stück aus der Nachfolge Ibsens und seines Kampfes gegen die Lebenslüge. Nur wurde die Technik Ibsens erweitert durch eingeschobene Rückblenden, durch Wach-Illusionen sowie durch Auslösung des realistischen Schauplatzes und der realistischen Situationen. Das Stück ist ein tragischer Aufriß des typisch amerikanischen Erfolgsoptimismus um jeden Preis. Ihm folgen die verheerende Überschätzung der eigenen Kräfte, ihre rasante Abnutzung, der Absturz in ein Wunschtraumleben und schließlich der totale menschliche Ruin.

(F. Emmel, rororo Schauspielführer, S. 342-244)

(15)

... Nimmt man die Themenvielfalt von Death of a Salesman mit den dramaturgischen Besonderheiten des Stücks zusammen und bedenkt zugleich, daß auf beiden Gebieten die offenen Fragen die abschließenden Antworten überwiegen, so zeigt sich Millers Drama als ein komplexes Gebilde, dessen Reiz nicht zuletzt in gewissen Ambiguitäten und in der notwendig unabschließbaren Auseinandersetzung mit diesen Ambiguitäten liegt.

(M. Pütz. Arthur Miller. Death of a Salesman. Reclam 9172, S. 170)

6. Literatur (-Auswahl-)

Arthur Miller	Death of a Salesman (herausgegeben von M. und G. Pütz). Stuttgart 1984 (Reclam Fremdspra-chentexte)
	The Crucible. New York 1970 (Penguin Plays)
	Zeitkurven. Ein Leben. Frankfurt/M. 1989. Amerikanisch: Timebends. New York 1987

* * *

Hedwig Bock	Arthur Miller. In: Literatur Lexikon 20. Jahrhundert. Band 2. Hamburg 1971, S. 554-555
Neil Carson	Arthur Miller. London 1982
Ronald Hayman	Arthur Miller. New York 1972
Rainer Lübbren	Arthur Miller. München 1969
Leonard Moss	Arthur Miller. New York 1967/Boston 1980
Benjamin Nelson	Arthur Miller. Portrait of a Playwright. New York 1970

***

Robert W. Corrigan (Hg.)	Arthur Miller. A Collection of Critical Essays. Englewood Cliffs (N.J.) 1969
Robert A. Martin (Hg.)	Arthur Miller. New Perspectives. Englewood Cliffs (N.J.) 1982
James J. Martine (Hg.)	Critical Essays on Arthur Miller. Boston 1979

* * *

| Gerald M. Berkowitz | New Broadways: Theatre Across America 1950 - 1980. Totowa 1982 |
| Louis Broussard | American Drama. Contemporary Allegory from Eugene O'Neill to Tennessee Williams. Norman (Oklahoma) 1962 |

Ruby Cohn	New American Dramatists: 1960-1980. New York 1982
Paul Goetsch (Hg.)	Das amerikanische Drama. Düsseldorf 1974
William Herman	Understanding Contemporary American Drama. University of South Carolina 1987
Hans Itschert (Hg.)	Das amerikanische Drama von den Anfängen bis zur Gegenwart. Darmstadt 1972
Wolfgang Karrer/ Eberhard Kreutzer	Daten der englischen und amerikanischen Literatur von 1890 bis zur Gegenwart. München 1973
Jürgen Schäfer	Geschichte des amerikanischen Dramas im zwanzigsten Jahrhundert. Stuttgart 1982
Theodore Shank	American Alternative Theatre. New York 1982

* * *

Brodie's Notes	on Arthur Millers "The Crucible" (by I.L. Baker). London 1974
E. Miller Budick	History and Other Spectres in Arthur Miller's "The Crucible". In: Modern Drama Volume XXVIII Number 4. Toronto 1985, S. 535-552
Paul Goetsch	Arthur Miller's Zeitkritik in "Death of a Salesman". In: Die Neueren Sprachen N.F.16 (1967), S. 105-117
Hartmut Grandel	"Death of a Salesman"-Tragödie oder soziales Drama. In: Amerikanisches Drama und Theater im 20. Jahrhundert (herausgegeben von A. Weber und S. Neuweiler). Göttingen 1975, S. 204-222
John V. Hagopian	"Death of a Salesman". In: Insight (herausgegeben von J.V. Hagopian und M. Dolch). Frankfurt/ M. 1962, S. 174-186
Manfred Pütz	Nachwort zu: Arthur Miller "Death of a Salesman". Stuttgart 1984, S. 160-170
Gerald Weales (Hg.)	Arthur Miller. "Death of a Salesman". Text and Criticism. New York 1967
Dennis Welland	Miller. A Study of His Plays. London 1979

* * *

	An Outline of American History. United States Information Agency (USIA) 1994
Sydney E. Ahlstrom	A Religious History of the American People. Yale University Press 1972
Paul Boyer/ Steven Nissenbaum	Salem Possessed: The Social Origins of Witchcraft. Harvard University Press 1974
William H. Chafe	The Unfinished Journey: America Since World War II. Oxford University Press ²1991

* * *

Felix Emmel	rororo Schauspielführer. Hamburg 1976
Heinrich Goertz	Erwin Piscator in Selbstzeugnissen und Bilddokumenten. Hamburg 1974
Norman Mailer	Reklame für mich selber. Frankfurt/M.-Berlin 1986
Erwin Piscator	Theater der Auseinandersetzung. Ausgewählte Reden und Schriften. Frankfurt/M. 1977
Hanns L. Schütz/ Marlott L. Fenner (Hg.)	Welt-Literatur heute. Eine aktuelle Bestandsaufnahme. München 1982
Wilhelm Unger	Wofür ist das ein Zeichen? Auswahl aus veröffentlichten und unveröffentlichten Werken des Autors. Köln 1984

* * *

ABC Deutsch

Die Reihe mit dem Guggi

Das Konzept der Reihe:

Die Regelbücher:
Die Inhaltsverzeichnisse sind sehr übersichtlich und klar gegliedert. Beschränkung auf das Wesentliche und Wichtige. Verständlichkeit durch Verwendung nicht nur lateinischer, sondern auch deutscher Begriffe (z.B. Hauptwort, Wie-Wort, Tu-Wort), daher (fast) ohne Vorwissen begreifbar. Systematische und verständliche Darstellung der Regeln durch einfache Sprache und klare Gliederung der einzelnen Kapitel in: "Regel (bzw. Definition)", "Beispiele und Erläuterungen", "Hinweise". Bei besonderen Schwierigkeiten Wortlisten zum Einprägen. Bilderrätsel zur Auflockerung und Überprüfung des Wissens (mit Auflösungen im Anhang). Tabellen für den Überblick. Leerseiten für Notizen. Ausführliches Register.

Die Übungsbücher:
Die Übungsbücher sind nach Sachgebieten gegliedert und so aufgebaut, daß Selbstlerner dank eines entsprechenden Buchumschlags die Lösungen abdecken und sich nach Beantwortung der Fragen selbst überprüfen können. Da auf der jeweils linken Buchseite die Fragen noch einmal - natürlich mit Antworten - abgedruckt sind, können Lehrer, Nachhilfelehrer und natürlich auch Eltern das Wissen (ohne selber den Stoff beherrschen zu müssen!) problemlos abfragen. Kurzum: Die Übungsbücher sind für Selbstlerner geschrieben, ideal aber auch für Lehrer und Eltern zum Abfragen!

Der Aufbau der Reihe:

ABC DEUTSCH: GRAMMATIK

Band 1: Regeln - Beispiele - Erläuterungen
124 Seiten - DIN A5
Best.-Nr. 0491-X

Band 2: Übungen mit Lösungen zur deutschen
Grammatik.
120 Seiten - DIN A4
Best.-Nr. 0492-8

ABC DEUTSCH: RECHTSCHREIBUNG

Band 1: Regeln - Beispiele - Erläuterungen
ca. 110 Seiten - DIN A5
Best.-Nr. 0493-6

Band 2: Übungen mit Lösungen zur Rechtschreibung.
ca. 100 Seiten - DIN A4
Best.-Nr. 0494-4

ABC DEUTSCH: ZEICHENSETZUNG

Band 1: Regeln - Beispiele - Erläuterungen
ca. 112 Seiten - DIN A5
Best.-Nr. 0495-2

Band 2: Übungen mit Lösungen zur
Zeichensetzung.
ca. 120 Seiten - DIN A4
Best.-Nr. 0496-0

Lernhilfen aus dem C. Bange Verlag

Eine Auswahl aus unserem Programm

Deutsch

Bernd Matzkowski
Basisinterpretationen für den Literatur- und Deutschunterricht III
Untersuchungen und didaktische Hinweise zum Volksbuch Till Eulenspiegel.
Hinweise auf den Schelmenroman.
Bestell-Nr.: 0598
Sachanalyse - Ausgewählte Historien - Motivquerverbindungen zu Schelmenromanen des 16. und 17. Jahrhunderts - Vorschläge für die Behandlung im Unterricht.

Bernd Matzkowski und Enst Sott
Basisinterpretationen für den Literatur- und Deutschunterricht IV
36 moderne deutsche Kurzgeschichten
Best-Nr.: 0599
Interpretationen der Kurzgeschichten mit Arbeitsfragen zu "Arbeitstexte für den Deutschunterricht"(Reclam),
"Deutsche Kurzgeschichten 11.-13. Schuljahr" und Pratz/Diel, "Neue deutsche Kurzgeschichten" (Diesterweg)

Dichtung in Theorie und Praxis
Texte für den Unterricht
Mit dieser Serie von Einzelheften legt der BANGE-VERLAG Längs- und Querschnitte durch Dichtungs-(Literatur-)Gattungen für die Sekundarstufen vor.
Jeder Band ist - wie der Reihentitel bereits aussagt - in die Teile Theorie und Praxis gegliedert; darüber hinaus werden jeweils zahlreiche Texte geboten, die den Gliederungsstellen zugeordnet sind. Ein Teil Arbeitsanweisungen schließt sich an, der entweder Leitfragen für die einzelnen Abschnitte oder übergeordnete oder beides bringt.

Wir hoffen, bei der Auswahl der Texte eine "ausgewogene Linie" eingehalten und die Bände für die Benutzer wirklich brauchbar gestaltet zu haben.
Bestellnummer - jeweils vor den Titeln.

451 Die Ballade	**460 Trivialliteratur**
453 Kriminalliteratur	**461 Die Parabel**
455 Der Roman	**462 Die politische**
457 Die Fabel	**Rede**
458 Der Gebrauchs-	**463 Deutsche**
text	**Lustspiele**
459 Das Hörspiel	**und Komödien**

Egon Ecker
Wie interpretiere ich Gedichte?
Stoffsammlungen, Gliederungen und Ausarbeitungen.
Bestell-Nr.: 0695
Anhand von vielen Beispielen werden hier Methoden der Interpretation von Gedichten vorgestellt. Es wurden bewußt Texte ausgewählt, von denen zahlreiche oft widersprüchliche Interpretationen vorliegen.
Anhand von Gedichten der verschiedensten Epochen werden Hinweise gegeben, wie man inhaltlich und formal Texte erklären und verständlich machen kann.

Egon Ecker
Wie interpretiere ich Novellen und Romane?
Methoden und Beispiele für die Praxis.
Bestell-Nr.: 0686
Notizen zur Betrachtung eines dichterischen Textes - zur Technik der Interpretation.

Beispiele:
Keller, Drei gerechte Kammacher.
Novellen:
Büchner, Lenz - Storm, Schimmelreiter - Andres, Die Vermummten.

C. Bange Verlag - Postfach 1160 - 96139 Hollfeld - Tel. 09274/372 - Fax 09274/80230

Romane:

Mann, Königl. Hoheit - Frisch, Homo Faber
Andres, Knabe im Brunnen - Andersch, Sansibar.

Zur Theorie der Novelle - Zur Theorie des Romans

Gliederungsvorschläge - Themenvorschläge
u.v.a.

Epochen deutsche Literatur

Kurzgefaßte Abhandlungen für den Deutschunterricht an weiterführenden Schulen.
Bestellnummern vor den einzelnen Titeln.

480 Die deutsche Romantik I (Frühromantik)
481 Realismus des 19. und 20. Jahrhunderts
482 Impressionismus und Expressionismus
483 Sturm und Drang
484 Die deutsche Romantik II (Spätromantik)
485 Die deutsche Klassik
486 Von der Aufklärung zum Sturm und Drang - Literaturgeschichtliche Querschnitte

Robert Hippe
Interpretationen zu 62 ausgewählten motivgleichen Gedichten

mit vollständigen Gedichtstexten
Bestell-Nr.: 0587
Der Verfasser hat die wiedergegebenen Interpretationen und Auslegungen in langen Gesprächen und Diskussionen mit Oberprimanern erarbeitet. Die hier angebotenen Deutungsversuche erheben keinen Anspruch auf die einzig möglichen oder richtigen, sondern sollen Ausgangspunkte für Weiterentwicklungen und Bearbeitungen sein.
Aus dem Inhalt: Themen wie Frühling - Herbst - Abend und Nacht - Brunnen - Liebe - Tod - Dichtung u.a.

Robert Hippe
Interpretationen zu 50 modernen Gedichten

mit vollständigen Gedichtstexten
Bestell-Nr.: 0597
Der vorliegende Band verspricht Interpretationshilfe und Deutungsversuche - in unterschiedlicher Dichte und Ausführlichkeit - für 50 vielbehandelte Gedichte im Unterricht. Materialien und Auswahlbibliographie geben den Interessenten Hilfe für den Deutsch- und Literatur-

unterricht. Für den Lehrenden eine Bereicherung zur Vorbereitung des Unterrichts. Für den Lernenden Hilfestellung für häusliches Arbeiten.
Aus dem Inhalt: Lasker - Schüler - Hesse - Carossa - Benn - Britting - Brecht - Eich - Kaschnitz - Huchel - Kästner - Bachmann - Piontek - Celan - Härtling - Reinig - Grass - Enzensberger u.a.

Robert Hippe
Kurzgefaßte deutsche Grammatik und Zeichensetzung

Bestell-Nr.: 0515
Ein Abriß der deutschen Grammatik systematisch und fundamental dargeboten; beginnend mit den Wortarten, Betrachtung der Satzteile und Nebensätze bis zu den Satzzeichen. Beispiele durchsetzen das Ganze und Lösungen sollen Fehler auffinden helfen. Ein nützliches, in tausenden Exemplaren bewährtes Übungs- und Nachhilfebüchlein.

Albert Lehmann
Erörterungen

Gliederungen und Materialien.
Methoden und Beispiele für den Unterricht und häusliches Arbeiten.
Bestell-Nr.: 0490
Die vorliegende Sammlung von 61 Gliederungen, die durch Erläuterungen - vornehmlich Beispiele - zu den einzelnen Gliederungspunkten erweitert sind, sollen die Wiederholung des Jahresstoffes erleichtern und Anregungen für den Unterricht geben.
Themen: Landschaftszerstörung - Berufswahl - Urlaubsreise
Stoffkreise: Gesellschaft - Natur - Tourismus - Sport - Technik - Arbeit u. Beruf - Freizeit - Konflikte zwischen den Generationen - Die Stellung der Frau in der Gesellschaft - Entwicklungsländer - Massenmedien - Ausländerfeindlichkeit u.a.

Hartwig Lödige
ABC DEUTSCH : Grammatik

Regelteil: Regeln- Beispiele - Erläuterungen
Bestell-Nr.: 0491

Übungsteil: Übungen mit Lösungen zur Grammatik
Bestell-Nr.: 0492

Diskette: Übungen mit Lösungen zur Grammatik
Bestell-Nr.: 0497

ABC DEUTSCH: Rechtschreibung

Regelteil: Regeln - Beispiele - Erläuterungen
Bestell-Nr.: 0493

Übungsteil: Übungen mit Lösungen zur Rechtschreibung
Bestell-Nr.: 0494

ABC DEUTSCH: Zeichensetzung

Regelteil: Regeln - Beispiele - Erläuterungen
Bestell-Nr.: 0495

Übungsteil: Übungen mit Lösungen zur Zeichensetzung
Bestell-Nr.: 0496

Diskette: Übungen mit Lösungen zur Zeichensetzung
Bestell-Nr.: 0498

Das Konzept der Reihe:

Die Regelbücher:
Die Inhaltsverzeichnisse sind sehr übersichtlich und klar gegliedert. Beschränkung auf das Wesentliche und Wichtige. Verständlichkeit durch Verwendung nicht nur lateinischer, sondern auch deutscher Begriffe (z.B. Hauptwort, Wie-Wort, Tu-Wort); daher (fast) ohne Vorwissen begreifbar. Systematische und verständliche Darstellung der Regeln durch einfache Sprache und klare Gliederung der einzelnen Kapitel in: 'Regel (bzw. Definition)', 'Beispiele und Erläuterungen', 'Hinweise'. Bei besonderen Schwierigkeiten Wortlisten zum Einprägen, Bilderrätsel zu Auflockerung und Überprüfung des Wissens (mit Auflösungen im Anhang). Tabellen für den Überblick. Leerseiten für Notizen. Ausführliches Register.

Die Übungsbücher:
Diese sind nach Sachgebieten gegliedert und so aufgebaut, daß Selbstlerner dank eines entsprechenden Buchumschlags die Lösungen abdecken und sich nach Beantwortung der Fragen selbst überprüfen können.
Da auf der jeweils linken Buchseite die Fragen noch einmal - natürlich mit Antworten - abgedruckt sind, können Lehrer, Nachhilfelehrer und natürlich auch Eltern das Wissen (ohne selber den Stoff beherrschen zu müssen!) problemlos abfragen.

Martin H. Ludwig
Das Referat
Kurze Anleitung zu einer Erarbeitung und Abfassung.
Bestell-Nr.: 0646

Martin H. Ludwig
Praktische Rhetorik
Reden - Argumentieren - Erfolgreich verhandeln.
Bestell - Nr.: 0688
'Praktische Rhetorik' ist ein Übungsbuch für jedermann! Ob bei der Sammlung von Gedanken, bei der Konzentration der Argumente, bei der Gestaltung einer Rede, in der Rücksichtnahme auf den Verhandlungspartner, bei der Vorsicht vor 'gefährlichen' Redewendungen.
Aus dem Inhalt: Formale Rhetorik - Dekorative Rhetorik - Verwendung von Argumenten in der Verhandlung - Psychologie in der Verhandlung - Einzelne Techniken zur Durchsetzung von Anliegen - Positive Verhandlungstechniken - Wie wehre ich mich gegen....? - Typische Verhandlungssituationen - Wann sind welche Techniken angebracht?

Methoden und Beispiele der Kurzgeschichten-Interpretationen
mit den behandelten Kurzgeschichten-Texten.
Bestell-Nr.: 0691
Herausgegeben und erstellt von einem Arbeitskreis der Pädagogischen Akademie Zams.
Methoden: Werkimmanente, existenzialistische, grammatische, stilistische, strukturelle, kommunikative, soziologische, geistesgeschichtliche, historisch/biographische/symbolische Methode.
Beispiele: Eisenreich-Cortázar-Dürrenmatt-Brecht-Horvath-Bichsel-Kaschnitz-Lenz-Weißenborn-Rinser-Borchert-Nöstlinger-Wölfel-Langgässer.
An Beispielen ausgewählter Kurzgeschichten werden die einzelnen Methoden der Interpretation demonstriert und erläutert. Informationen und Nachschlagewerk für den Unterricht in den Sekundarstufen.

Edgar Neis
Das neue große Aufsatzbuch
Methoden und Beispiele des Aufsatzunterrichts an weiterführenden Schulen.
Bestell-Nr.: 0698

Dieses Buch richtet sich an Lehrer und Schüler von weiterführenden Schulen. Ein weitverbreitetes, erfolgreiches Lern- und Übungsbuch.
Aus dem Inhalt:
Zur Technik des Aufsatzschreibens - Stoffsammlung und Disposition - Charakteristik - Erörterung - dialektischer Besinnungsaufsatz - Themen und Aufsätze zu zeitbezogenen Problemen - Aufsätze zur Literatur - Texterschließung - Interpretationshinweise - Vorschläge ür Aufsatzthemen u.v.a.

Edgar Neis
Moderne deutsche Diktatstoffe
5. bis 10. Jahrgangsstufe
Bestell-Nr.: 0693
Beide Bände dienen der Einübung und Wiederholung der Rechtschreibung und Zeichensetzung. Jeder Band gliedert sich in zwei Teile, einen systematischen Teil , der zielbewußte Einübung von Wörtern, deren Schreibung Schwierigkeiten bereitet, dient und einen allgemeinen Teil. Dieser bringt zusammenhängende Diktatstoffe aus dem deutschen Schrifttum.

Edgar Neis
Interpretationen von 66 Balladen, Erzählgedichten und Moritaten
Analysen und Kommentare.
Bestell-Nr.: 1404
Balladen usw. des 18, 19. und 20. Jahrhunderts werden in dieser für Lehrer, Studenten und Schüler bestimmten Lernhilfe ausführlich interpretiert und durch Erklärungen Verständnis für diese Art Dichtung geweckt.
Als Begleitbuch für Unterricht und häusliches Arbeiten - eine Fundgrube!
Aus dem Inhalt: Bürger - Herder - Goethe - Schiller - Uhland - Eichendorff - Heine - Droste-Hülshoff - Miegel - Brecht - Huchel - Celan - Chr.Reinig - Kunert uva.

Edgar Neis
Interpretationen motivgleicher Werke der Weltliteratur
Dramatische, epische und lyrische Gestaltung der bekanntesten Stoffe der Weltliteratur werden mit knappen Inhaltsangaben vorgestellt und miteinander verglichen interpretiert.
Band 1: Mythische Gestalten
Bestell-Nr.: 0548
Alkestis - Antigone - Die Atriden(Elektra/Orest) - Iphigenie - Medea - Phädra.

Band 2: Historische Gestalten
Bestell-Nr.: 0549
Julius Caesar - Coriolan - Der arme Heinrich - Die Nibelungen - Romeo und Julia - Jeanne d'Arc /Die Jungfrau von Orleans - Johann Joachim Winckelmann.

Edgar Neis
Verbessere Deinen Stil
Bestell-Nr.: 0539
Der Autor versucht im vorliegenden Band vom grundlegenden Schema über Wortwahl und Satzgestaltung den Interessierten zu einer guten Ausdrucksform zu führen. Stil ist erlernbar, deshalb wurden im zweiten Teil viele künstlerisch gestaltete, stilvolle Beispiele wiedergegeben.

Edgar Neis
Wie interpretiere ich ein Drama?
Methoden und unterrichtspraktische Beispiele.
Bestell-Nr.: 0697
Erstbegegnungen mit dramatischen Formen - Methoden des Interpretierens - Wege zur Erschließung und Analyse eines Dramas.
Arbeit im Detail: Titel, Personen, Handlung, Aufbau, Sprache, Realisation, Bühnengestaltung, Regieanweisungen, sozio-kulturelle und historische Einordnung usw. Modellinterpretationen.

Edgar Neis
Wie interpretiere ich Gedichte und Kurzgeschichten?
Methoden und Beispiele für häusliches Arbeiten und Unterrichtsgestaltung.
Bestell-Nr.: 1407
Ein 'Grundkurs', die Kunst des Interpretierens zu erlernen und zu verstehen. Anhand von zahlreichen Musterinterpretationen werden dem Benutzer die Wege zu einer gelungenen Erschließung eines Stoffes aufgezeigt. Standardwerk!

Reiner Poppe
Aufsatztraining für die 10. Klasse
Themen - Techniken - Beispiele
Bestell-Nr.: 0465
Anhand von vorgegebenen Textbeispielen vermittelt dieses Buch den Benutzern methodisch die Erstellung von Texten. Beispiele zu: Erzählbericht - Bericht - Beschreibung - Erörterung - dialektischer Besinnungsaufsatz - Interpretation usw.

Diktatsammlungen von Klaus Szyrba:
- 50 Kurzdiktate für das
4. - 7. Schuljahr
mit 250 Übungsmöglichkeiten
Bestell-Nr.: 0477

- Neue lebensnahe Diktate
2. - 10. Schuljahr
mit zahlreichen Übungsmöglichkeiten.
200 Diktate und Übungen.
Bestell-Nr.: 0611

- Lebensnahe Diktate 2. - 4. Schuljahr
150 Diktate mit angegliederten
Übungsmöglichkeiten und Lösungen.
Bestell-Nr.: 0610

- Lebensnahe Diktate 5. - 7. Schuljahr
150 Diktate mit Lösungen und zahlreichen
Übungsmöglichkeiten.
Bestell-Nr.: 0613

- Lebensnahe Diktate
8. - 10. Schuljahr
100 Diktate mit Lösungen und
Übungsmöglichkeiten.
Bestell-Nr.: 0471

- Lebensnahe Diktate
5. - 10. Schuljahr
250 Diktate mit Lösungen,
Übungsmöglichkeiten und Tabellen.
Bestell-Nr.: 0612

- Wege zur sicheren Recht-
schreibung
Diktate mit Übungen für das **2. Grundschuljahr**.
Bestell-Nr.: 1409

- Wege zur sicheren Recht-
schreibung
Diktate mit Übungen für das **3. Grundschuljahr**.
Bestell-Nr.: 1410

- Wege zur sicheren Recht-
schreibung
Diktate mit Übungen für das **4. Grundschuljahr**.
Bestell-Nr.: 1411

Weitere Titel von Klaus Sczyrba:
- Komm, wir schreiben!
Rechtschreibübungsheft für das
2. und 3. Schuljahr.
Bestell-Nr.: 0614

- Komm, wir schreiben!
Rechtschreibübungsheft für das
3. und 4. Schuljahr.
Bestell-Nr.: 0616
- Komm, wir schreiben!
Rechtschreibübungsheft für
4. und 5. Schuljahr.
Bestell-Nr.: 0479

- Lebensnahe Grammatik für die
Grundschule
Übungen für das 2. - 4. Schuljahr
Bestell-Nr.: 0673

- Lebensnahe Grammatik für die
5. - 10. Klasse
100 Übungen mit Lösungsteil.
Bestell-Nr.: 0474

- Schwierigkeiten mit der deutschen
Grammatik
Übungen mit Lösungen.
Bestell-Nr.: 0694
Anhand von vielen Beispielen werden den Be-
nutzern bestehende Regeln nahegebracht. Das
Buch richtet sich an alle, die ihre Kenntnisse
auffrischen wollen; auch Ausländer, die sich mit
der deutschen Sprache vertraut machen wollen.

- Wege zum guten Aufsatz
Übungsbuch für das 3. bis 5. Schuljahr.
Bestell-Nr.: 0690
Spielerisch wird hier der Aufsatzunterricht mit
Übungen und Lösungsbeispielen den Kindern
der Grundschule beigebracht. Die Fundamente,
welche in der Grundschule für das
Aufsatzschreiben vermittelt werden, sollen hier
für die Kinder in heiterer Form dargestellt wer-
den.

- Wege zum guten Aufsatz
Übungsbuch für das 5. bis 10. Schuljahr.
Bestell-Nr.: 0472
Gerade die Benutzer dieser Altersgruppen le-
gen die Basis für einen guten Stil im Verfassen
von Texten jeder Art. Dieses Buch will hier

helfend begleiten. Anhand von Beispielen jeder Art, werden die vermeidbaren Fehler aufgezeigt und Empfehlungen gegeben, für die eigene Art Texte wiederzugeben oder zu verfassen.

Englisch

Peter Luther/Jürgen Meyer
Englische Diktatstoffe
Unter- und Mittelstufe
Bestell-Nr.: 0647
Beginnend mit einfachen Texten und Erklärungen wird hier der Benutzer des Buches mit der englischen Grammatik, Wortlehre und Rechtschreibung vertraut gemacht. Worterklärungen und Übungen zur Selbstkontrolle runden den Band ab.

Jürgen Meyer
Deutsch-englische / englisch-deutscheÜbersetzungsübungen
9. - 13. Klasse
Bestell-Nr.: 0594
Texte für Fortgeschrittene, die ihre Kenntnisse in Wortanwendung und Grammatik erweitern und überprüfen wollen.
Zu den zeitgemäßen deutschen Texten wurden die Vokabeln und deren Anwendungsmöglichkeiten gegeben und erklärt.
Am Schluß des Bandes stehen die englischen Taxte zur Selbstkontrolle.

Jürgen Meyer/Ulrich Stau
Englisch 5./6. Klasse
Übungen mit Lösungen
Bestell-Nr.: 1405
Der gesamte Stoff der 5. und 6. Klasse wird in diesem Nachhilfebuch wiederholt. Die Benutzer können anhand von Übungen ihr Wissen testen und im Lösungsteil nachschlagen.

Jürgen Meyer
Übungstexte zur englischen Grammatik
9. - 13. Klasse
Bestell-Nr.: 0567
Der Band enthält Übungsmaterial zu aktuellen Fragen usw. über das heutige Großbritannien und die USA.Die Texte sind mit ausführlichen Hinweisen zu den Vokabeln sowie Übungen zur Syntax und zum Wortschatz versehen. Diskussionsvorschläge und ein sorgfältig aufbereiteter Schlüssel bieten zusätzliche Unterrichtshilfen.

John A. Phillips
Englisch für Frustrierte
Ratgeber für Muß-Studenten und Schüler der englischen Sprache.
Bestell-Nr.: 0478
Dieses Buch ist für Leute geschrieben, denen vielleicht doch noch zu helfen ist, ihre verlorengegangene Freude an der englischen Sprache zurückzugewinnen. Der Autor, Professor für Englisch an der Uni Tokio, Verfasser mehrerer humorvoller und skurriler Bücher, hat kein Lehrbuch im üblichen Sinne geschrieben. Es ist aber auch kein Amüsierbuch allein; dazu ist es dem Verfasser mit den Menschen, die seine Sprache lernen wollen, viel zu ernst. Der Leser lernt viel, ohne belehrt zu werden. Was er bietet, will und kann kein systematisches Lehrbuch ersetzen, wohl aber 'background' schaffen, bei Kennern der Sprache manches Tüpfelchen auf das 'i' setzen und, wie erwähnt (-so auch der Titel), Frustrierte wieder zu mobilisieren.
Enjoy it....

Französisch

Werner Reinhard
Französische Diktatstoffe
Unter- und Mittelstufe - 1. bis 4. Unterrichtsjahr
Bestell-Nr.: 0532
Die nach dem Schwierigkeitsgrad geordneten Texte sind überwiegend Erzählungen und Berichte von Begegnungen des täglichen Lebens, wobei unbekannte Vokabeln beigegeben sind. Mit den Texten lernt der Schüler die gehobene Umgangssprache; d.h. Vokabular und Wendungen, die er später für die eigene Textproduktion verwenden kann. Den Texten vorangestellt sind Bemerkungen zur Rechtschreibung , die nützliche Regeln enthalten.

Werner Reinhard
Übungstexte zur französischen Grammatik
9. - 13. Klasse
Bestell-Nr.: 0543
Dieses Buch wendet sich an Lernende, die bereits einige grammatische Kenntnisse haben, sie jedoch festigen und vertiefen wollen. Es eignet sich aufgrund umfangreicher Vokabelangaben, sowie des ausführlichen Lösungsteils, zum Selbststudium und vermag bei Schülern ab Klasse 9 Nachhilfeunterricht zu ersetzen.

Die textbezogenen Aufgaben berücksichtigen insgesamt die wichtigsten grammatischen Gebiete, ein Register ermöglicht auch systematisches Vorgehen.

Werner Reinhard
Kurze moderne Übungstexte zur französischen Präposition
Bestell-Nr.: 0568
In einem lexikalischen Teil gibt das Übungsbuch zunächst einen Überblick über die Anwendungen der wichtigsten Präpositionen.

Im anschließenden Übungsteil kann der Benutzer seine Kenntnisse überprüfen. Vorherrschende Methode ist die Einsatzübung.

Anhand der Lösungen kann der Übende im Selbststudium seine Kenntnisse vervollständigen.

Geschichte

Peter Beyersdorf
Geschichts-Gerüst
Von den Anfängen bis zur Gegenwart
Bestell-Nr.: 0689
Das vorliegende Werk will keinen Ersatz für bereits bewährte Bücher dieser Art sein, sondern einem Auswahlprinzip huldigen, das speziell auf weiterführende Schulen zugeschnitten ist.

In vier Teilen werden die einzelnen Epochen vorgestellt und Wesentliches hervorgehoben.
1. Von der Antike bis zum Beginn der Völkerwanderung (ca. 3000 v.Chr. bis 375 n.Chr.).
2. Von der Völkerwanderung bis zum Ende des Mittelalters (375-1268).
3. Vom Übergang zur Neuzeit bis zum Ende des 1. Weltkrigs (1268-1918).
4. Vom Beginn der Weimarer Republik bis heute (1918-1995).

Für die Abiturvorbereitung und als Begleitbuch im Unterricht der Sekundarstufen breit einsetzbar.

Latein

Oswald Woyte
Latein-Gerüst
Der gesamte Stoff 'Latein' in übersichtlicher Anordnung und leichtverständlicher Darstellung mit Übungstexten, Übungsaufgaben und Schlüssel.

Teil 1: Formenlehre
Bestell-Nr.: 0552

Teil 3: Satzlehre
Bestell-Nr.: 0554

Teil 4: Übungsaufgaben und Schlüssel zur Satzlehre
Bestell-Nr.: 0555
Der Autor hat aus seiner Schulpraxis als OSTD die Schwierigkeiten der lateinischen Sprache für den häuslichen Übungsbereich aufbereitet und leicht faßbar erläutert. Lernanweisungen sollen das Einprägen erleichtern.

Mathematik

Lothar Deutschmann
Mathematik
Wegweiser zur Abschlußprüfung Mathematik I, II + III an Realschulen.
Anhang: Reifeprüfungsaufgaben.
Bestell-Nr.: 0644
Ein erfahrener Praktiker erteilt Nachhilfeunterricht in Mathematik für RS.

In anschaulicher Weise werden den Benutzern Aufgaben aus der Mathematik an RS vorgeführt, erklärt und mit Lösungsweg und Lösungen beschrieben.

Ruth Kirchmann
- Die 4 Grundrechenarten
Bestell-Nr.: 0488

- Bruchrechnen
Bestell-Nr.: 0489

- Prozentrechnen
Bestell-Nr.: 1413
Wenn Schüler vor Mathematik zurückschrekken, so liegt es häufig an den Lücken, die irgendwann entstanden sind und das Verständnis des ganzen folgenden Unterrichtsstoffes blockieren.
In diesen Nachhilfebüchern, die auch zum Nachlernen für daheim geeignet sind, finden sich Schüler schnell zurecht.

Friedrich Nikol/Lothar Deutschmann
Algebra
Übungs- und Wiederholungsbuch für die 9. und 10. Jahrgangsstufe.
Bestell-Nr.: 0645
Ein bewährtes Buch für häusliche Arbeit und zur Nachhilfe!

G. Joachim/W. Joachim
Formelsammlung Mathematik
5. - 10. Schuljahr
Bestell-Nr. 1408
Alle wesentlichen Definitionen, Gesetze und Formeln aus dem Mathematik- und Informatikunterricht. Die einzige Formelsammlung ab dem 5. Schuljahr!

Physik

Thomas Neubert
Formelsammlung Physik
8. - 13. Klasse
Bestell-Nr.: 1403
Bis zur Abiturvorbereitung werden die wesentlichen Formeln und Zusammenhänge der Physik für den Unterricht aufgezeichnet. Klarer und logischer Aufbau verschaffen einen schnellen und leichten Überblick in den Bereichen Mechanik, Optik, Wärmelehre, Elektrizitätslehre, Atom- und Kernphysik sowie spezielle Relativitätstheorie.

Johannes Lorenz/Lothar Deutschmann
Physik-Gerüst
Übungs- und Nachhilfebuch für die Sekundarstufe I
Bestell-Nr.: 0617
Die Grundlagen der Physik werden hier in übersichtlicher und leicht faßlicher Darstellung den Benutzern vorgelegt.
Aus dem Inhalt: Meßkunde - Allgemeine Eigenschaft der Körper - Mechanik fester Körper - Mechanik der Flüssigkeiten - Mechanik der Gase - Lehre vom Schall - Wärmelehre - Magnetismus - Elektrizität - Geometrische Optik - Wellenoptik usw.

Thomas Neubert
Physik 11. Klasse
Nachhilfebuch mit Lösungen.
Bestell-Nr.: 0684
Dieses Buch basiert auf den Lehrplänen Physik 11 der verschiedenen Bundesländer. Jeder behandelte Abschnitt ist in einen Grundlagenteil und einen Aufgabenteil mit vollständigen Lösungen aufgeteilt.

Chemie

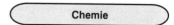

Th.Bokorny
Chemie-Gerüst
Wegweiser und Ratgeber für Schüler und Abiturienten.
Bestell-Nr.: 0674
Dieses kurze, in Tabellenform abgefaßte Vademecum der Chemie, soll kein Lehrbuch oder Lexikon sein, sondern die großen Linien und wissenswerten Teile der modernen Chemie übersichtlich klar einprägsam veranschaulichen und in Erinnerung bringen.

H. Hoffmann
Formelsammlung Chemie
9. - 13. Klasse
Bestell-Nr.: 1402
Hier wurden die wesentlichen Formeln mit ihren Anwendungsmöglichkeiten aufgezeichnet. Für den Schulunterricht und für häusliches Arbeiten ein wichtiges Hilfsmittel - echte Lernhilfe.